JN058783

著 ・ 中野民夫　嘉村賢州　牧原ゆりえ　小見まいこ　井口奈保　荒木寿友　上田信行　稲垣奈美

川原諭

二瓶智充

奥野美里

樋口菜美香

三宅正太

あるがゆう

角野仁美

石橋智晴

沼野友紀

中尾有里

青波ゆみこ

伊勢田麻衣子

三澤直加

和田あずみ

酒井麻里

関美穂子

小柳明子

グロス梯愛依子

山本彩代　筒井大介　石本玲子　江上昇　桂山智哉　小濱賢二郎　柳幸佐代美　玉有朋子

編著 ・ 有廣悠乃

描いて場をつくる グラフィック・レコーディング

Just draw!　Have fun!

2人から100人までの対話実践

学芸出版社

目次

1章　グラレコことはじめ　　　5

第1節　グラレコって何？ 可視化って何？ 有廣悠乃 ………………………………………… 6

（1）広がり進化し続ける描く技術 ………………………………………………… 6

（2）グラフィックを使うとこんな良いことがある！ ……………………………… 7

対談：多様化してきた「場づくり×可視化」の手法 中野民夫×嘉村賢州 ……………… 10

第2節　みんなでつくる場の始めかた 牧原ゆりえ ……………………………………… 19

第3節　先駆者の実践に学ぶ …………………………………………………………… 24

（1）一人ひとりを活かす：ファシリテーション・グラフィック 小見まいこ ………… 24

（2）組織を創発する：グラフィック・ファシリテーション 井口奈保 ……………… 31

第4節　可視化のパターンとバリエーション 有廣悠乃 ………………………………… 35

2章　ひと・ことを創発する「場づくり×可視化」の現場　　37

1. 組織づくり

フラットな関わりしろのある社内会議づくり 稲垣奈美 ………………………… 38

あいまいな日常作業を実効力ある仕事に変える 青波ゆみこ ……………… 42

ゆっくり効き出す社内対話の仕込み薬 伊勢田麻衣子 …………………… 46

2. 事業開発

事業構想の足場をつくる瞬発力 株式会社グラグリッド　三澤直加／和田あずみ ……… 50

2つのモードで紡ぐ、響く事業戦略づくり 酒井麻里 ……………………… 54

3. キャリア対話

会話で思考を引き出し、整える「可視カフェ」関美穂子 …………………… 58

4. まちづくり

自分ごとマインドが育む住民自治の土壌 小柳明子 ……………………… 62

ご近所さんと暮らしを語らい、手を取りあう グロス梯愛依子 ……………… 66

一人ひとりの思いを地域の前進力に 玉有朋子 ………………………… 70

5. 行政改革

役所にファシリテーションを植え付ける! 尼崎市役所 ファシリ部 江上昇/桂山智哉/小濱賢二郎/柳幸佐代美 74

素早い情報整理で住民対話を支える 石本玲子 78

カタい行政をときほぐし双方向の議論をつくる 筒井大介 82

6. ソーシャル

のびしろをシェアして未来に貢献しあう 山本彩代 86

ズレや違いを面白がり共創できる社会へ 中尾有里 90

線で対話し個をつなぐチームビルディング 沼野友紀 94

7. 教育・研究

大人も子どもも当たり前に対話できる小学校づくり 石橋智晴 98

中学・高校と地域社会をやわらかくつなぐメモ書き 角野仁美 102

市民に届けるプロセスが育む"研究の相互理解" あるがゆう 106

8. 支援・ケア

子どもと大人が言葉の限界を超えて歩み寄る対話の場 三宅正太 110

きこえる人ときこえない人が集う会議のデザイン 樋口菜美香 114

だれもが当事者として描く未来を創りたい 奥野美里 118

医療・福祉・介護現場の不安が信頼のタネに!
関西ふくしグラレコグループむす部 カワハラニヘー 川原諭/二瓶智充 122

3章　描くことで「場をつくる」ために 127

対談：可視化で気をつけておきたいこと 中野民夫×嘉村賢州 128

第1節　現場に学ぶ場づくりのヒント 131

（1）描いて場をつくるための基礎トレーニング 荒木寿友 131

（2）こんなときどうしたらいい? Q＆A 有廣悠乃 134

第2節　生成的な場で描く未来のビジョン 上田信行 140

本書の読み方

良い話し合いとはどんなものでしょうか。チームのビジョンや可能性が展望できたり、問題の原因究明や課題に取り組む道のりが見えたり。ようは、"肚落ちする議論の場づくり"とも言えます。本書は、そうした話し合いを「グラフィック・レコーディング（通称・グラレコ）による可視化」で実現しようとする人たちの実践的入門書です。なんだか難しそうですが、そんなことありません。経験がなくても、絵心がゼロでも、描いて場が創発される面白さや、まず描いてみることの大切さを伝えるのが目的です。

1章は「話し合いの可視化」が生む効果、場づくりの歴史、基礎知識などをまとめています。2章は多様な分野で日々描き続けている実践者の皆さんに、企業、事業開発、行政、まちづくり、教育、福祉現場での手ごたえや試行錯誤を自ら紐解いてもらいます。3章は描いて場をつくるためのアドバイスを詰め込みました。紹介する多様な実践例やアドバ

イスは、そのすべてを習得することがゴールではありません。探求の道に終わりもありません。自分の特性や立場に合った手法を選びとって、あなたならでは／その場ならではの可視化を楽しんでください。

読み進めていただく前に、ひとつ、問いを送ります。

「あなたはなんのために、グラレコを描きますか？」

可視化は目的ではなく手段です。自分らしい可視化実践に向けた試行錯誤を繰り返しながら、多くの人が場を創発し続けてくれることを願っています。楽しい探求の旅路を！
Have fun!

2021年6月
有廣悠乃

© 肥後祐亮

1章

グラレコことはじめ

（1）広がり進化し続ける描く技術

グラフィック・レコーディング（以下、グラレコ）とは、会議やワークショップなどの話し合いを可視化し、記録する手法です。グラフィック・レコーディングという言葉を広めた清水淳子さんは、これらの効果について「言葉だけでは齟齬が生じそうな場で、相互理解を深めるための共通言語としてはたらく」[1]と期待を述べています。最近はさまざまな現場で実践されているので「グラレコ知ってる！ 見たことあるよ！」という方も増えてきました。

それでは「話し合いの可視化」にはどんな手法があるのでしょうか？ グラレコはもちろんその1つなのですが、実はそれ以外にもさまざまな手法があるんです。ファシリテーション・グラフィック、ハーベスティング、グラフィック・ファシリテーション、スクライビング……。どれも絵や図を使って議論を活性化したり、次のアクションにつなげたりする技術です。それぞれ似ているところもあれば、違うところもあります。さらには専門分野や目的、ゴール設定、描き手の考え方や特性に応じて、日々進化し続けています。本書は、グラレコに加えてこうした技術を全部まとめて「可視化」と呼び、多様な可視化の現場を読み解くことが目的です。

次の節からは、話し合いの現場で可視化を使うとどんな良いことがあるのかをお伝えします。場にフィットした描き方（アイコンや絵、文字量）を選べば、参加者のモチベーションをぐっと高めることができるんです。「あ、今みんなワクワクしてるな」というように、場の熱量の変化を感じ取れるようになるのも大事なポイントです。覚えておいてくださいね！

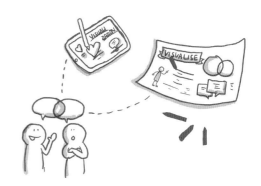

*1) 清水淳子著『Graphic Recorder：議論を可視化するグラフィックレコーディングの教科書』BNN新社、2017

〈参考文献〉
● 清水淳子著『Graphic Recorder：議論を可視化するグラフィックレコーディングの教科書』BNN新社、2017
● ケルビー・バード著『場から未来を描き出す：対話を育む「スクライビング」5つの実践』英治出版、2020
● デビッド・シベット著『ビジュアル・ミーティング：予想外のアイデアと成果を生む「チーム会議」術』朝日新聞出版、2013
● 堀公俊、加藤彰著『ファシリテーショングラフィック：議論を「見える化」する技法』日本経済新聞出版、2006
● 牧原ゆりえ監修「アート・オブ・ハーベスティング ブックレット 3-1」2020

（2）グラフィックを使うとこんな良いことがある!

グラレコはさまざま目的で導入されますが、ここでは代表的な6つの効能を紹介します。

参加者とその場の振り返りができる

　会議やワークショップなど、話し合いの場で忘れてはいけないのが振り返りですよね。議論の復習だけでなく、参加者自身の気づきに落とし込むための大切な時間です。さまざまな振り返りの方法がありますが、グラフィックを用いて指差しながら振り返りを行うと、話されていた場の臨場感も思い出すことができ、自分の感情やふとした考えも重ねやすくなります。複数回連続するような会議なら、前の議論の要点を短時間で共有でき、議論の積み重ねもスムーズです。

話されている内容を構造化して、理解を促す

　「あれ、今何の話だっけ?」といつの間にか議論が空中戦になってしまうことはありませんか? グラフィックは参加者同士の議論に関する共通理解を揃えることができ、議論の全体像を把握するのにも役に立ちます。アイコンや絵を用いて議論を整理し構造化すると、理解度の足並みも揃いやすくなります。理解できると新たな気づきも生まれ、次のアクションに進みやすくなります。この時大切なのは、話し合いの目的やゴールをしっかりおさえながら構造を整理することです。ゴールを見据えて描くという、ファシリテーション的な視点が必要になります。

発想やコミュニケーションを
促すことができる

　グラフィックは、参加者の柔軟な発想やコミュニケーションの活性化もサポートできます。アイデアを創発するイノベーションや未来志向のワークショップでは特に有効です。例えば「楽しい学校」を思い浮かべてみてください。グラフィッカーは他人なので、あなたの思う「楽しさ」を完璧に描くことはできません。ですが、例えば笑った顔を描いて「こうですか?」とたずね、イメージと近いか遠いか、照らし合わすきっかけはつくれます。すると「私は〇〇だと思う!」など議論が活性化します。問いや声かけでイメージを引き出すことを繰り返すと、抽象的だったアイデアが具体化していきます。

参加者の安心感が生まれ、
多様性が育まれる

　「一生懸命話しているのに自分の意見を聞いてもらえていない」「自分が間違っていたらどうしよう」など、参加者が不安を感じている状態では活発な議論はできません。グラフィックはいわば"相槌"です。「あなたの話を聞いています」というサインがあるだけで、参加者は声を発しやすくなります。自分の尺度で相手の発言を良い・悪いと判断せず、どんな意見にも耳を傾けてください。多様な意見を受け入れることが、安心感のある場、信頼関係を築く一歩です。ただし、内省や感情を扱う対話型のワークショップでは「記録として残したくない」「ただ話を聞いてほしい」という参加者もいます。ニーズに応じてペンを手放す柔軟さも大切です。

気づきが生まれ、学びが深まる

　口から発せられた言葉は、次の瞬間には消えていきます。人前で話すことが苦手な人や、自分が言いたいことが整理できていない状態の人にとって、グラフィックは自分を写す鏡のような役割も果たします。自分が考えていることや価値観に改めて気づかされ、人に伝える心の準備ができたり思考を整理したりするきっかけを提供できます。そのためにもできるだけ、いつでもだれでも見える位置で描きましょう。全員が囲んでいる机の上で、みんなでグラフィックを囲みながら議論するのも効果的です。

何かが始まりそうなワクワクを可視化する

　文字のインフォメーションだけではないグラフィックは、殺風景な会議室を華やかにして視覚的に何かが始まりそうなワクワク感を出すことができます。黒色のペンだけではなく、カラフルな色ペンを使うのも効果的です。例えば、参加者の似顔絵を描く、嬉しい話はニッコリした顔を添えてピンクや黄色で囲んでみるといったように、参加者の声に寄り添いながらも想像力豊かに可視化する技術は、場の空気をほぐし、創発が生まれやすいムードをつくります。

　また、場や参加者と一緒に描くことも常に意識しましょう。2章で紹介する事例のように、良いグラフィックは、場の創発をサポートします。一方で、どれだけ華やかなグラフィックでも、議論のツボを見落としていたり描き手の思い込みが一人歩きしていては、場の信頼感を生めず、創発にはつながりません。

自分の頭を整理し、
自分の思考や価値観に気づく

　この本は1対1の対話から100人規模の会議まで、多様な場づくりを紹介していますが、もちろん1人でグラフィックを描くことも大事です。自分の考えを整理し、気づいていなかった奥底の思考に気づく自己との対話においても、グラフィックはとても有効なツールです。タスクの整理、アイデア創発、心の中にある違和感やモヤモヤを見出すなど、自分の中にある多面的な意見や考えを認識することができてこそ、他者の内側にある違和感やモヤモヤにも気づくことができますし、違いを受容する対話が創発できるのです。

対談

多様化してきた「場づくり×可視化」の手法

場の可視化とは何なのか、グラフィック・レコーディングはどうやって進化してきたのか？
参加・体験型の学びの場を牽引してきた中野民夫さん、嘉村賢州さんに教えてもらいました。

1）場を可視化するってどういうこと？

「そのまま拾う」ホワイトボードが基本

中野：

可視化・見える化の基本といえば、やっぱりホワイトボードに書き出す「板書」でしょう。例えば先日、大学で参加型授業を手分けして担当している教員同士のふりかえりの場をファシリテートしました。十数人でそれぞれの少人数クラスの様子や課題を出しあう場です。出てくる話をホワイトボードにどんどんメモしていく。字が少々汚くても遠慮せずポイントを書き出す。そして検討すべき課題は赤い印をつけておき、あとで話し合う。これだけですが、見える化して共有でき、課題も忘れずに話し合えます。最近の可視化ブームで見事なグラレコ（グラフィック・レコーディング）を目にすることも増え、絵が上手い特別な人がやるもの、というイメージがあるかもしれない。もちろんそれは素晴らしいことだけど、だれでもできるわけではない。可視化の基本は、発言した人の言葉を勝手に要約せずに、大事なところを「できるだけそのまま拾って書き出す」ことだと思います。

嘉村：

受け止めてもらえる場の安心感は大事ですよね。それだけで雰囲気がぐっと良くなる。喋った内容や決まった結論を忘れてしまうという不安も解消されて、議題一つひとつに集中できるし、生産的な会議になります。少人数の話し合いならホワイトボードすら必要ありません。目の前に模造紙や大きめの紙をおいて、みんなが見えるようにメモしながら話すだけで生産性は一気に上がります。

探求のプロセスに溶け込む
記憶に残らないグラフィック

嘉村：

良いグラフィックがある会議は、しっかりとチームのビジョ

中野民夫 なかのたみお

東京工業大学リベラルアーツ研究教育院教授、ワークショップ企画プロデューサー。1957年東京生まれ。東京大学文学部宗教学科を卒業後、博報堂に入社。1989年に休職しカリフォルニア統合学研究所（CIIS）でワークショップを探究、その後さまざまなワークショップやファシリテーション講座を実践。同志社大学教授を経て現職。著書に『学び合う場のつくり方：本当の学びへのファシリテーション』（2017年、岩波書店）『ワークショップ：新しい学びと創造の場』（2001年、岩波書店）ほか。

嘉村賢州 かむらけんしゅう

東京工業大学リーダーシップ教育院特任准教授、NPO法人場とつながりラボhome's vi（ホームズビー）代表。1981年兵庫県生まれ。京都大学農学部を卒業後、IT企業で営業職を経験。2008年に組織づくりやまちづくりの調査研究を行うホームズビーを立ち上げ、2018年より現職。『ティール組織』（2018年、英治出版）解説者、一般社団法人アクティブ・ブック・ダイアローグ協会理事、コクリ！プロジェクトディレクター（研究、実証実験）なども兼務。

1) 場を可視化するってどういうこと？

そもそも

- 「そのまま拾う」ホワイトボードが基本
- 探求のプロセスに溶け込む 記憶に残らないグラフィック
- 場のエネルギーを 引っ張り出すグラフィックの力

2) ワークショップという 場づくりの発見

1990年代 / WORK SHOP

- オープン・スペース・テクノロジー (OST) の衝撃
- 身体性がある学びの場 というムーブメント
- 組織開発ツールとしても 注目を集めだしたワークショップ

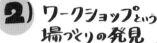

3) 合意形成ツールとしての グラフィック

2000年代

- 日本のまちづくり活動で活躍した ファシリテーション・グラフィック
- 市民参加の手法とも 馴染んだファシリテーション
- 世田谷まちづくりと 参加のデザイン

参加の デザイン 道具箱

2000年代は ファシリテーション 黎明期 ですよね。

4) ワールド・カフェと カジュアルな対話のニーズ

2010年代

- みんなが ファシリテーターになる！ ワールド・カフェ
- 日本の可視化ブームを リードした先駆者たち

5) 可視化の 課題や矛盾を乗り越える

- そのグラフィックは なんのために？
- 多様な手法の組み合わせ アート・オブ・ホスティング

もうちょっと 理解したいんでダイヒョー 教えてもらえますか？

アレが ソレで…

中野民夫

6) 場づくりのための グラレコ はじめの一歩

- まず板書、 その次は真似
- 空中分解を 避けるための事前打合せ

GOAL P POINT

嘉村賢州

ンが探求できて次につながる実感がもてますよね。最近だと小見まいこさん[(p.24)]なんかの可視化は、今よく見かけるグラフィックに比べずいぶんシンプルです。ほとんど絵は使わず、文字を配置するのが基本です。しかし、描いている人ならわかるけど彼女は相当上手いですよ。例えば自動販売機ってお金を入れる高さやボタンの位置の設計が優れているので、存在すら記憶に残らないですけど、そんな感じでほぼ記憶に残ってないんです。つまりグラフィッカーの存在も忘れるぐらいに良い時間なる。場になんのストレスもかけず、そっと寄り添えるグラフィックなんです。

場のエネルギーを引っぱり出す
グラフィックの力

嘉村：

一方、オシャレな美しいグラフィックが場の力を飛躍的に高める場合もあります。以前ギリシャでティール組織[*1]の集まりに参加したときに、ドイツの有名なグラフィッカーが参加してました。彼の存在が場の創造性を格段に高めていました。記録目的のグラフィック・レコーディングはもちろん参加型のデザインが抜群にうまいんです。ファシリテーターの進行意図をそっと感知して、カラフルなペンで小洒落たフォーマット（参加者が内省や探求のための問いを出すため自ら書き込むワークシートのような

もの）を描いてみせ、ものの1、2分でフォーマットを数十枚量産してくれる。そうすると場が一気に高揚します。会議室が一気に探求の旅路をいざなう舞台に変わる。

中野：

素敵なグラフィックがあると一気に場が華やかになりますよね。最近は日本のグラフィッカーもほんとうに絵が上手な人が増えたし、そういうかっこよさはやはり魅力だな。その点、地味で忘れられるくらいの仕事に徹するグラフィッカーって、通訳者と近いのかもしれませんね。通訳ってひたすら無心で言葉を置き換えることに集中しているから、翻訳してる時のことを覚えてないっていう人が多い。場の想いを形に残してくことに集中して、無心にみんなの道具になる感覚。

嘉村：

でも気をつけないといけないのは、ドイツの彼のように、場に参加しながらもグラフィックの才能で場を活性化するには、相当のスキルが必要だってことですね。「絵」にはどうしても描き手の解釈が加わる。同じ乗り物を描くにも、自動車なのか電車なのかでイメージはガラッと変わります。グラフィックが見栄えを重視して走り方を間違えると、場の共感は得られません。自分のアイデアをしっかり拾ってもらえなかった、と後から不満となって噴出することも多いです。

2）1990年代 : ワークショップという場づくりの発見

身体性がある学びの場というムーブメント

中野：

可視化がこれまでの場づくりにどう貢献してきたのか、ちょっと時代を遡ってみましょうか。僕が可視化とファシリテーションの面白さに気づかされた原体験は、もう30

年以上前にアメリカ留学時に受けた授業かな。広告会社の博報堂に就職して7年間勤めたあと、1989年から3年近く休職してカリフォルニア統合学研究所（CIIS）に留学しました。組織開発の学科で、結果としては平和や環境に取り組むワークショップを探究することになりました。そこでの授業は基本的に参加型で、「チャート

パット」を使って話し合っていました。模造紙の半分ぐらいの特大ポストイットみたいなもので、大きなイーゼルにぶら下げて先生や学生がカラーマーカーで議論を可視化し、それを中心に授業や話し合いが進む。そして一杯になるとめくって壁などに次々と貼っていく。「描いて貼って」というライブで可視化されていく身体性がある学びがごく普通でした。英語が聞き取れなくても可視化されるとわかるので助かったし。

学びの身体性というか、参加や体験、相互作用を通した学び合いは僕の関心の根本です。1977年に大学に入り、社会学の見田宗介[*2]先生のゼミに入ったのだけど、合宿は参加体験型で演劇レッスンやヨガなどかなりユニークでした。頭だけでなく心も身体も丸ごと使った学びの場の実験は、1960年代のアメリカ西海岸での反戦・人権運動と共鳴した人間性心理学（個性を肯定し前進を促すための心理学）の流れを受けていると思います。日本でも1970年代から展開しています。1988年にはオルタナティブ（もうひとつ）の世界を目指して八ヶ岳で6000人規模の「いのちの祭り」が開催され、音楽やアート、環境や先住民など、多様なテーマが持ち込まれたけど、多くが参加体験型、ワークショップ的でした。

オープン・スペース・テクノロジー（OST）の衝撃

中野：

カリフォルニアに留学していた1991年に体験したオープン・スペース・テクノロジー（OST）[*3]という手法も衝撃でした。大勢の人が集まる場を、その場で適切な分科会へと自分たちでオーガナイズしていく手法ですが、提唱者のハリソン・オーエン[*4]という人が主催した組織変革の全米大会に参加したのです。コロラドの高原で3泊4日の夏合宿。現地につくと200人ぐらい参加者がいるのだけど、みんな事前情報ゼロ。壁一面に紙が貼ってあるだけ。ハリソン・オーエンが現れ、輪になった全員が一言チェックインしたあと、やりたいことを提案するよう促し、有志がテーマを説明し壁の枠に貼っていく。参加したいものにサインアップしてみるみるうちに200人の3日間の分科会のスケジュールが自発的に決まっていく。「はい、では明日からこれで」ってパッと解散。ひえーと驚きましたね。几帳面な日本ではまず考えられない。学会などは1年も前から企画や予稿集めなどで準備が大変。OSTはその場で一気にセルフオーガナイズ。

嘉村：

おお、ハリソン・オーエンのワークショップに直接参加したんですね。僕のファシリテーションの原体験はOSTなんで、なんともうらやましい。そう考えるとやっぱりアメリカは、参加型の場づくりでは一歩も二歩も先に進んでいたんだなと感じますね。

組織開発ツールとしても注目を集めだしたワークショップ

中野：

1992年に帰国して会社に戻ってからも、ワークショップ探究は続きました。当時はバブルが崩壊し、経済界も地球環境問題に注目し始めたころです。会社勤めの傍らで市民グループをつくって仏教学者で社会活動家のジョアンナ・メイシー[*5]のワークショップや、ヴェトナム出身の仏教者のティク・ナット・ハン[*6]の来日企画に奔走して、さまざまな催しを企画しました。1997年には京都議定書を機にようやく日本でも地球温暖化の問題が知られ始めた。でも、環境の問題などは、正論をいくらお説教したところで人はなかなか変わらない。行動を促すには自分ごと化や楽しさも必要です。こうした参加や体験や自発性を大事にする学びへの変化から、ワークショップが注目を集めだしたわけです。

一方僕は企業にいたので、ワークショップを学びだけでなく組織開発にも活用したいと思っていました。そのころ出会ったのがビジュアル・ファシリテーションを得意とするデイビット・シベット[*7]さん。1998年にサンフランシ

スコで初めて参加した彼の組織開発ワークショップはとても魅力的だった。8の字を横に倒した無限マーク「∞」に沿ったプロセスをたどりながら組織のビジョンを可視化していくワークショップで、大きい紙の前で組織の物語を共有したり、ビジョンをつくったり。彼が使うフォーマットは、とてもグラフィカルなんです。彼は絵がうまくて、見せてもらった絵日記には素敵な絵と文字が芸術的に描かれていて圧倒されました。

僕が「ワークショップ企画プロデューサー」という肩書きを使うようになったのは、21世紀の幕開け2001年に『ワークショップ』（岩波書店、2001）を出版した時からです。積み重ねていたワークショップ体験をもとに、俯瞰的なマップ、具体的な事例、応用の可能性、限界や注意点をまとめました。ちょうど必要とされていたのか、多くの方々に読んでいただきました。

3）2000年代 ： 合意形成ツールとしてのグラフィック

世田谷まちづくりと参加のデザイン

中野：

日本のファシリテーション、特に可視化で先駆的な成果は、1993年に出版された世田谷区のまちづくり公社（現・せたがやトラストまちづくり）による『参加のデザイン道具箱』のシリーズではないでしょうか。「参加のデザイン」という考え方も新しいし、マーカーの使い方から始まる実用的なもので、当時はとても画期的だったと思います。浅海義治さんという方がカルフォルニア大学バークレー校で環境デザインを学んでいたときに習ったそうですが、その先生はデイビット・シベットにつながっていると聞いた記憶があります。だからルーツはデイビット・シベットさんかもしれません。

嘉村：

大元を辿ればすべてデイビット・シベットに行き当たるのは面白いですよね。でも当時の日本にはロール模造紙を使う習慣がなかったから、四角い模造紙にまとめるファシリテーション・グラフィックが独自の進化を遂げたわけですね。細かく見ていくとルーツが違ったり分派があったりするのかもしれないですけど、面白いつながりですね。

市民参加の手法として馴染んだ
ファシリテーション

嘉村：

2000年代はファシリテーション黎明期ですよね。僕は2000年に京都大学に入学しましたが、少しずつ市民活動にもこうした場づくりが浸透し始めていた時期だったのかなと思います。僕は元々友達をつくるとか自己管理とかが苦手な人間なんですが、こういった参加型ワークショップに救われた気がします。たまたま、英語クラスの友達に誘われて40人ぐらいの国際交流団体に入ったんです。留学生が日本人と交流するために鴨川の一画を借り切って、万単位の人を集めるイベントを主催していた団体で、人が集まってプロジェクトをつくる面白さに魅了されました。その経験が後押しとなって、さらに学生主体の環境NGOにも参加します。環境問題というカタいイメージにとらわれず、カフェやクラブで温暖化防止やフェアトレードのイベントを行うユニークなNGOだったんですが、その団体のバイブルが中野民夫さんの著書『ワークショップ』でした。ミーティングを行う際にファシリテーターを立てたり、議論の前にアジェンダを明確にしたり、参加型の団体運営って当時は少なかったんです。学生時代のそれらの経験は大きく、東京のIT会社に就

職した後も場づくりへの想いは消えず、最終的には2008年に場づくりの専門集団・場とつながりラボ home's vi（ホームズビー）というNPO法人を立ち上げて活動することになりました。

日本のまちづくり活動で活躍した
ファシリテーション・グラフィック

嘉村：

NPOを立ち上げて間もないころ、それはもう見事なファシリテーション・グラフィックに出会いました。「コミュニティビジネス支援者サミット」というイベントで、北海道から沖縄まで各地の中間支援団体、まちづくりのファシリテーター、コミュニティビジネスの支援コンサルタントなどが一堂に会する場だったんですが、そのワークショップでは各テーブルに1〜2人のファシリテーター兼グラフィッカーが入っていました。彼らはそっと場に馴染んで、かつてないほど対話に集中できたのです。

そのファシリテーション・グラフィックをされていたのは、博進堂という新潟にある学校アルバム制作会社のスタッフの方々です。社員はみな、お客さんとのアルバム制作打ち合わせで日常的に可視化を活用していたんです。このスキルが地域活動にも有効だと見抜いたのが、元経営者の清水義晴[8]さん。引退後は自らファシリテーターとなり、まちづくり関係者にノウハウを広め、日本中から引っ張りだこでした。清水義晴さんのノウハウを受け継いだ人は大勢いて、小見まいこさんもまさにその一人ですね。

4）2010年代 ： ワールド・カフェとカジュアルな対話のニーズ

みんながファシリテーターになる！
ワールド・カフェ

嘉村：

2010年前後は市民活動に限らず、日本中にダイアログ、つまり対話というものが広がっていった時期だったと思います。だれかプロに頼るのではなくて自分たちで可視化しながら話す場づくりの転機になったのが、ワールド・カフェ[9]ですね。他人に委ねてしまうよりも、みんながその場のファシリテーターになって聞いたり促したりするのが魅力的な方法です。

僕がワールド・カフェに出会ったのは、2008年にシアトルで参加したシステム思考や学習する組織をテーマにしたペガサスカンファレンスという世界中の企業関係者・教育関係者の集会です。終始カルチャーショックの連続でした。『学習する組織』で有名なピーター・センゲ[10]の基調講演は壁一面のロール紙にグラフィック・レコーディングされ迫力満点。講演が終わった後、大勢がその内容をカメラに残して去っていきました。プレイベントとして開催されたワークショップがワールドカフェで、その進行役が手法の開発者でもあるアニータ・ブラウンとデイビット・アイザック[11]でした。オープニングがアカペラから始まったのも衝撃的でした。ダイアログは4人ずつに分かれて行われ、カラフルな下地レイアウトが施されたロール紙を囲みながらみな生き生きと対話を可視化していました。アニータとデイビットのリズミカルな掛け合いのコ・ファシリテーションも初体験。生真面目な配布資料を配って議論する日本とは大違いで、こんなに楽しく場をつくれる人たちがいるのかと、すべてが新鮮でした。

日本の可視化ブームをリードした先駆者たち

嘉村：

日本でもこうした可視化が、多様な形で溶け込んできて

いる実感もあります。2008〜2010年くらいから、ワールド・カフェもそうですし、グラフィックが少しずつ日本にも広がって、その存在が認知されはじめました。今ではイベントにグラフィック・レコーダーがいる現場は珍しくなくなってきました。グラフィッカーの数もどんどん増えています。2010年前後は、やまざきゆにこ[*12]さんや、井口奈保[(p.31)]さん、山田夏子[*13]さんといった先駆者ぐらいしかいなかった。もっと描く人が増えたら面白いと思って、京都でも2010年頃にファシリテーション・グラフィック研究会を立ち上げました。井口さんや小見さん等に来てもらってレクチャーをしてもらいました。

見える化の展開として、川嶋直[*14]さんのKP法（紙芝居プレゼンテーション法）[*15]も面白いですよね。パワーポイントの代わりにA4の紙で手軽にプレゼンテーションでき、主体的な学びを促せます。パワーポイントの場合、前のスライドは見えなくなりますが、紙の場合は全部貼り出して全体像を確認できます。ようやく世間も「可視化は議論を促すツールなんだ」という気づきが定着していろいろな可能性が生まれている気がします。

5）可視化の課題や矛盾を乗り越える

そのグラフィックはなんのために？

嘉村：
ここまでざっと30年くらいのタイムスパンで、可視化が場づくりにどう用いられてきたのか、を見てきました。いろんなアップデートが繰り返されてきたわけですが、すべての場づくりにおいて大事なのは「なんのために可視化するのか？」という自問自答をグラフィッカー本人ができることですよね。冒頭で紹介したドイツのグラフィッカーのような求心力が場を創発することは確かです。とはいえどんな場でも基本的には、参加者の集合知をできるだけ正確に描こうという誠実さは欠かせない。「もうちょっと理解したいんですけど、教えてもらえますか？」と場に問う確認作業が足りないと、参加者からすると「みんなで創った感じ」がしない。そういったグラフィックは、終わった後も使われない場合が多いです。こうした可視化の課題や矛盾に向き合う手法が少しずつ注目されはじめたのが2010年以降の流れではないでしょうか。

多様な手法の掛け合わせ。アート・オブ・ホスティング

嘉村：
よく欧米のムーブメントは10年ぐらい遅れて日本に入ってくると言われますが、そろそろ次のフェーズかなと思っています。2010年ごろからフューチャーセンター、フューチャーセッションとかも注目を集めていますが、中でもアート・オブ・ホスティングに注目したいですね。
それまでのワークショップ手法は、ワールド・カフェやOSTなど単発的な場づくりが多かった。今、だんだんと複数の手法群を組み合わせて、体系的なノウハウや一連の流れで変化を生み出すプログラムの構築に関心が高まっています。変革ファシリテーターとして有名なアダム・カヘン[*16]によるチェンジ・ラボ[*17]やトランスフォーマティブ・シナリオ・プランニング[*18]、そしてアート・オブ・ホスティング[(p.23)]が有名です。これらのプログラムは2泊3日の合宿、あるいは半年や1年かける長期探求プログラムなため、議論の振り返りや積み上げを助ける可視化抜きにはつくれません。アート・オブ・ホスティングでは、グラフィックをはじめとしたあらゆる見える化の手法を「ハーベスティ

ング」と呼びます。要するに、場で起こった議論から次の対話を生んだり、ワークショップ後に行動を起こすための「収穫」を目的にしているんですね。根本には、議論を記録しただけではもったいないよね、その記録が場の中でどう役に立つのか、どう使われるのかもしっかり考えていこう、という問題意識があります。

6）描いて場をつくるのグラレコ・初めの一歩

まずは板書、その次は真似

嘉村：
良いグラフィックを描けるようになるには、とにかく手を動かして練習することが大切ですよね。冒頭で紹介したとおり、経験が浅いならシンプルに「板書」から始めることをおすすめします。

中野：
僕が一時よくやっていたのは、メインファシリテーターが場をつくって、サブファシリテーターが板書やるっていう役割分担。メインファシリテーターが「〇〇ですね」って反復して拾った言葉だけを、サブファシが手足のように後ろで書く。勝手には書かず一体化するというやり方。また、良いフレームワークを使うのも上達の近道でしょう。場づくりのステップを適切に盛り込んだフレームワークだと、自然とそういう場をつくれるから。そういう引き出しをもっておくのは、グラフィッカーの大事な力だと思います。デイビット・シベットの『ビジュアル・ミーティング』（朝日新聞出版、2013）はとても参考になるのでは。

空中分解を避けるための事前打ち合わせ

嘉村：
まちづくりの現場で若者がファシリテーションをする時、住民から「お前は何様だ」みたいな反応が返ってくることがあります。単純に年下の人間に仕切られるのが気に食わないという年長者がいるのです。そんなときは「板書役をお手伝いしましょうか？」と一言声をかけるのが大切です。また、議論が混戦し始めたら「正しく描き取りたいので、この部分をもう一度確認させてもらえますか？」と問いかけることを恐れない。謙虚に伝えればみなわかってくれますよ。また最も気をつけたいのが、板書役が参加者の意見を恣意的に取捨選択しないこと。独りよがりな場づくりは、一気に場の信頼を失います。

中野：
話し合いを可視化するというインパクトは大きいですよね。だからこそ、参加者とファシリテーターとグラフィッカーがまったくバラバラだと、とても残念ですよね。ビジョンやイメージを描くといっても、あくまで場で起こっていることを見える化して共有するものでないと。

嘉村：
議論を導くファシリテーターと可視化でサポートするグラフィッカーは、必要なスキルも異なります。だからこそ二人一組で場をつくれると良いのですが、日本はまだまだその連携がうまくってない場が多い。イベントに呼ばれたものの、数分の打ち合わせで描かれるグラフィックでは、なかなか次につながりません。複数の人が協働して場をつくるコ・ファシリテーションの文化も日本では発展途上ですよね。海外はかなり盛んです。5、6人とかでリズミカルにバトンタッチしながらのコ・ファシリテーションは楽しいし盛り上がりますよ。日本でもそうした豊かな場がどんどん増えていくことを期待したいですね。

2020年8月

＊1）ティール組織

メンバーそれぞれが裁量を持ち業務に取り組む組織のこと。2014年にフレデリック・ラルーが提唱した。「ティール」とは「進化型」の意で、従来のピラミッド型組織のような階層構造や管理監督機能を持たないのが特徴。『ティール組織』（英治出版、2018）に詳しい。

＊2）見田宗介

1937年生まれ。社会学者、東京大学名誉教授。教養学部での見田ゼミからは多くの人材を輩出。『気流のなる音』（筆名：真木悠介）著者。

＊3）オープン・スペース・テクノロジー（OST）

5〜2000人で実践可能なワークショップの一つの手法。話し合いのテーマや仲間を募り、一般的な会議よりも参加者の主体性が重視される。1985年にハリソン・オーウェンが提唱。

＊4）ハリソン・オーエン

アメリカの組織開発コンサルタントでありOSTの発案者。コーヒーブレイクタイムに一番議論が盛り上がった経験をヒントに手法を確立。

＊5）ジョアンナ・メイシー

1929年生まれ。アメリカの仏教哲学者、社会活動家。平和学、社会問題、環境分野で、自身の経験や学識から「つながりを取り戻すワーク」というワークショップ手法を生み出した。

＊6）ティク・ナット・ハン

1926年生まれ。ベトナム出身の禅僧であり平和人権活動家、詩人。社会活動を精力的に行い、特に欧米でのマインドフルネスの普及に尽力した。

＊7）デイビット・シベット

アメリカのファシリテーターで、ファシリテーション・グラフィック創始者のひとり。アップル社をはじめグローバル企業のリーダーシップ開発、組織戦略やビジョン構築、変革のプロセスデザインを手がける。

＊8）清水義晴

まちづくりコーディネーター。1949年生まれ。新潟を拠点に、全国のまちづくりや、人材育成などの仕事を手がける。

＊9）ワールド・カフェ

カフェのようなリラックスした雰囲気で行うワークショップ手法。一定時間4〜5人のテーブルごとに対話し、メンバーの入れ替え対話を繰り返す。総勢1000人以上でも実施可能。

＊10）ピーター・センゲ

マサチューセッツ工科大学（MIT）経営大学院の上級講師であり、組織学習協会（SoL、Society for Organizational Learning）の創設者兼初代会長。著書に『学習する組織：システム思考で未来を創造する』（英治出版、2011）がある。

＊11）アニータ・ブラウンとデイビット・アイザック

ワールド・カフェの提唱者。花を生けたり、美味しいコーヒーを飲むなどカフェのような雰囲気だと生成的な対話が生まれると説いた。

＊12）やまざきゆにこ

グラフィックファシリテーター。株式会社ユニファイナアレ代表。様々な現場でプロセスデザインを行いながら、グラフィック活用の実践を行う。

＊13）山田夏子

株式会社しごと総合研究所代表取締役、一般社団法人グラフィックファシリテーション協会代表理事。組織開発分野でリーダーシッププログラム、チームビルディングを実践。

＊14）川嶋直

公益社団法人日本環境教育フォーラム（JEEF）理事長であり、KP法（紙芝居プレゼンテーション法）の提唱者。1953年生まれ。企業研修やセミナー、ワークショップなどを全国で行う。

＊15）KP法

紙芝居プレゼンテーション法の略称で、紙とホワイトボードだけでプレゼンテーション＆思考整理を行う手法。

＊16）アダム・カヘン

カナダ出身のファシリテーター。1950年生まれ。民間企業勤務時、事業ビジョン検討に「シナリオプランニング」の手法を用いて大きな功績を残す。南アフリカのアパルトヘイト問題をはじめ、国際的な対立や葛藤に取り組む。

＊17）チェンジ・ラボ

U理論を実際に活用するための実践ワークショップ。U理論とは、マサチューセッツ工科大学講師のC・オットー・シャーマー博士によって提唱された、変容やイノベーションを個人／ペア（1体1の関係）／チーム／組織／コミュニティ／社会の各レベルで起こすための考え方。その考えを軸として、オットーの協力のもと、ジョセフ・ジャヴォースキーとアダム・カヘンがつくりあげた実践ワークショップをチェンジ・ラボという。教育、環境、民族紛争など世界中の社会問題で応用されている。

＊18）トランスフォーマティブ・シナリオ・プランニング

チェンジラボ同様、U理論に基づいて主体に関係性の変容を促し、個人や社会の行動変容を促すワークショップ。アダム・カヘンはこの手法を用いて南アフリカのアパルトヘイト問題を和解へ導いた。

第2節　みんなでつくる場の始めかた

牧原ゆりえ

「場づくり」は、親しい友人を夕食に招くように

プロローグ：もてなす人がいる場とは

例えば、みなさんが大事なお友達を夕食に招いたとします。張り切ってお食事をつくったり、お花を飾ったり、なかなか手に入らないケーキを買ったりして楽しい時間を過ごそうと準備をしたとします。お友達が来たら「ハイ、これを食べてね!」とか「今日はあなたが好きな花をいっぱい飾ったから見てね!」と言うように「こんな風に楽しくしたかったんだ」という形を次々提案して、お友達に喜んでもらおうとするかもしれません。でも、そうじゃないほうがいい時もあると思いませんか。張り切って準備をしても、もし目の前のお友達が元気ないな、悩みがあるなと感じたら、あなたもただ黙って横に座っていたくなるかもしれません。結果として、話したい人のタイミングで話したいことを切り出してもらえるかもしれません。そして、お友達は何かを話したというよりは「聴いてもらえた」という感覚を持ち帰ります。一方、あなたは話を引き出せたという感覚よりは「こんな時間を一緒に持てた」とか「もしかして役に立てたかな」という気持ちを味わいながら、食べ損ねちゃったお料理やケーキをいただきます。悪くないなと思いながら。

こんな風に話し合いの場をもてなしたこと、きっとあなたにもあると思います。本稿の「場づくり」のお話もあんまり難しく考えないで、みなさんの中にある「お友達といい話ができた時、あなたは何をしてた?」を思い出しながら読んでもらえたらと嬉しいです。

そもそも「人の話を聴く」ってどういうこと?

「もっとああ言っておけばよかった」「こう言えていればしっくりきたのに」と思った経験はありませんか。経験や自身の感性から「わかる」ことが私たちには豊かにあります。でもそれは必ずしも整理された知識の形になっているとは限りませんし、その瞬間・その状況にカンペキに合うように自分の思考や感情を言葉で表現することはできません。まず大前提として、話すことはとても難しいことだと思います。

では、話し手が「なんとか考えや思いを伝えられたかな」と思った時、聴き手はどんな風に何を理解しているのでしょうか。例えば、通常の会話で「大丈夫です」という言葉はよく使われますが、どんな意味で発せられた言葉なのかを受け手がわかっているとは限りません。本当は痛いのに我慢してい

るかもしれない、もっと任せてほしいのかもしれない、何かを隠したいのかもしれない。理解したかったら、もう少し話してもらう必要がありそうです。

　そう考えていくと、話し手が本当に話したかったことが聴き手に1回で伝わることは奇跡とすら感じます。「自分の理解が間違っているかもしれないから話さない!」とか「カンペキに理解してからでないと問いかけない!」とかでは、お互いを理解することはできません。人の話を聴いて理解を深めていくには、忌憚なく考えや思いを共有できる関係をつくることが必要不可欠です。

自分らしくいられる場から始まる関係

　でも、どんな人だってその場でその人らしくふるまうことができたら、だれかに促されなくたって話し始めます。お菓子を食べながら。靴を脱いでリラックスしながら。鼻歌を歌いながら。自分らしくみんなといられるという関わりや、お互いに言葉を交わしながら相互理解をつくり上げられる関係性は、そうした場から始まります。

　参加する人は一人ひとりみんな違う生き物なのですから、どんな風に接してもらったら気持がいいのか、安心できるのか、ワクワクするのか、どこでなら伸び伸びできるのかは人それぞれ。そんな人たちが集まる場のつくり方に正解がないのは当たり前です。だから、どうしたらみんなが素の自分でいられるか、想像力を使って考えることが大切です。そして、その場にあるものや得られる協力・創造力をフルに活用して、できる範囲で形にします。話し合いの準備のためにも、たくさん話し合います。「いい話し合い」をするって時間がかかるんです。

お寺の畳の大広間で。スペースが広いと、全体での位置付けを確認しながらたくさんのことを学べる

描くことは「一緒に話そう!」という呼びかけ

記録が関係性をつくり始める

　大切な話が1回で伝わるなんて奇跡なのですから、対話をする時は何かの結論に辿り着くことを

目的としていたとしても、「話が出てきやすいような関係をみんなでつくる」ことも心掛けていきます。そこに集う人たちの間で「今回話した。だから次は話せる自分がいるし、それを聴いてくれる人もいる」

という信頼がつくられると、さらに次の大切な話をしていけるようになります。そんな「畑で土をつくる」ようなプロセスをみんなと共有することで、話し合いを1回だけでなく、次に広げたり深めたりしていけるようになります。そして、それまでの話を振り返り、思い起こし、次から来る人にも心地よく輪に入ってもらうためには、場の「記録」が欠かせません。

記録のカタチ

記録というと文字をイメージするかもしれませんが、音楽でも、ダンスでも、詩でもいいのです。みんなの記憶に残り、どんな話し合いだったのか、どんな雰囲気だったのか、どんなことに合意したのかが思い出されるものならなんでも。文字との組み合わせも効果的です。音楽や即興劇やダンスは、そのパフォーマンスであっという間にみんなの注目を集められる記録です。何年も前に「今ここにある雰囲気」をみんなで言葉を選びながらつくった歌は今も歌えますし、場の学びを1人芝居で表現してくれた方にもらったインスピレーションは忘れられないからです。

といっても、ビジュアルを用いた記録は、やはり私が最初に魅力を感じた手段です。大勢が参加できること、やり直した跡が見えること、視覚的に会場の雰囲気を変える力があることなど、ビジュアルを利用した記録のメリットはたくさんあります。私が特に大切だと思うポイントをご紹介していきます。

お互いの理解の内容を直感的に確かめ合える

1つめは、可視化されたものを介して「話がどう理解されたのか」を確認できることです。描き手の可視化したものを話し手が見ることで「ああ、私の伝えたかったことは、そうじゃなくてこう」というように一緒に話ができるようになります。異なっているということを一緒に確認することから、私たちは共に理解をつくり上げていくことができるのです。聴き手も「あなたのお話をこんな風に受け取りました。いかがですか」と披露することで、聴き手同士で「私にはこんな風に聴こえた」「ここにピンときた」「これは泣けた」などと対話が進みます。もちろん話し手も描き手も話に加われますから、コミュニケーションは深くなっていきます。つまり、自分が描いたものを見せるのは自分の腕前を承認してもらうためではなく、もっとあなたのことを理解したい、そのためにもっと話そうよ、一緒に理解し合おうよと呼びかけるためなのです。

こんな人にはもちろん出会えませんが、このぐらいの気持ちで「話そう！」って呼びかけてほしいと思って描きました

話されたことを一度で理解できないと「話を聴いていなかったのか？」と咎められることが多い社会において、それはとても勇気ある行動です。だからこそ、それを乗り越えていく「話そう！」というメッセージは、黙って何も話さなかった時とは違う可能性をひらきます。もっと複雑な話ができる関係性や、一緒に取り組みを進めていくための土台になる共通理解を積み重ねていけるのですから。

言葉になりづらいものを伝えられる

2つめは、「論理的」「端的」「客観的」な表現はもちろん、言語的に言い表しづらい雰囲気、感覚、関係性といったものも、紙の上ならなんとかその手がかりを残し始められることです。あなたの暮らしの喜びや人生の意味、命の尊さを論理的に、端的に、客観的に表現できますか。そんな風に表現できることはこの世界のほんの一部でしかなく、そんな風に表現できることが正しいという感覚も、主観の1つでしかありません。私たちが、自分たち

にとって大切な何かを語ろうとしたら、文字以外の表現方法を持つ必要があるのです。

知りたいのは、「あなたはどう理解したのか」

言葉になりづらいものも対話しながら描くのですから、描き手の可視化はゴールでなくプロセスの一部なのです。そこに正解も不正解もありません。だから「カンペキには描けなかったから見せません」なんて言わないでください。話し手の言葉は、その人の豊かな知識や体験を手がかりにたまたま選ばれた言葉なのですから、その言葉の背景にある何かに精一杯耳を傾けて、あなたというフィルターを通して浸りましょう。世界にたった1つしかないあなたというフィルターを通って感じられたことは、たとえ「きれいな花」といった短い言葉であっても、隣の人が感じていることと違うあなたらしさが現れます。

自分らしく話す・聴く社会を目指して

場づくりというと、もしかしたら「ファシリテーション」という言葉をよく耳にするかもしれません。ファシリテーションは、長年かけて洗練されてきた話し合いのための優れた方法論で、もともとは「促進する」「〇〇しやすいようにする」というニュアンス

の言葉です。そんな方法論に加えて私がさらに魅力を感じるのは、自分を促してくれる環境があってもなくても、自分から話してみたくなる場づくりです。つまり、それぞれが自分のタイミングで動き出せる関係性が育まれるための方法論です。

しーん（意見なんてありません）

同じ意見です。同じだけ知ってます

同じ話を聞いていても、面白がってる人も、退屈な人もいて当たり前。そもそも、好きなことや特技や、興味関心が違って当たり前。私たちは実はとても彩り豊か

　そのような場を支えるときに大切なことはまず、あなたらしいものの見方をご自身がそのまま受け入れること、そして描く人の力を借りてでもそれぞれのものの見方を表現してみることです。あなたが「いい場」のイメージに合わせる必要はありません。一人ひとりが持つ、その人らしいフィルターを通して受けとる世界は、とても多様で豊かです。上の図のようにたとえ周りの人と同じでいいですと大人しくおすまししているように見える人でも、その人がいることで、紛れもなくそこにはかけがえのない豊かさが生まれています。自分のものの見方を受け入れ、分かち合おうとすることは、この豊かさを受け取りあうための出発点なのです。

　それから、その場にいるあなたが信じることを献身的にやってみること。いい関係が築かれいい話ができることを願いながら動くことで、場はいつでもだれにでも始められます。その中で技術は磨かれ、生み出されていきます。

　そうした働きかけを、実践を通して学ぶ人たちの集まりがアート・オブ・ホスティングです。「場にい

るすべての人が持っている自身の力を意識し、話し合いの質が上がるようにその力を発揮する練習をしながら対話をしよう」というシンプルで本質的な協力を呼びかけています。

　お互いを大事にもてなし合い、自分たちらしく話す・聴くことを続けていく対話は、実践を通して社会に芽を出しています。「アート・オブ・ホスティング」という道のり、ピンときたタイミングでぜひご一緒してください。

定期的に開催しているアート・オブ・ホスティング・ジャパンの入門合宿。参加型リーダーシップの学びの場。アート・オブ・ホスティングは、大切な話し合いを「ホスト」するためのアート（技芸）をみんなで実践をしながら学び合っていく学びの道です

（1）一人ひとりを活かす：
　　　ファシリテーション・グラフィック

NPO法人みらいずworks 代表理事

小見まいこ

可視化することで、相互作用が生まれ、場が豊かになる

記録することで、参加意欲や
協働意識を育み場が活性化する

　ファシリテーション・グラフィック（以下、ファシグラ）とは、話し合いの場で模造紙やホワイトボードなどにリアルタイムで発言内容を描き、それを見ながら話し合うことで、専門や立場を越えて共通理解を生み出し、話し合いを活性化させる手法です。

　ファシグラの効果は、大きく3つあります。第一に、自分の意見が尊重される安心感です。発言が等しく描かれ、立場や力関係などに左右されない対等な場なら、参加意欲も高まります。第二に、新しい発想や合意の促進です。堂々巡りや脱線を防ぎ意見がかみ合うようになれば、より短時間で参加者それぞれの情報・視点・アイデアが引き出され、満足感の高い場を運営することができます。第三に、共通理解の醸成です。話し合いの内容が共通の記録として残ることで解釈や結論の食い違いを防ぎ、各自の考えや見方、立場や風土の異なる人や組織同士でも、自然と協働意識が

模造紙を囲んで議論中

育まれていきます。

要約力が上達のポイント

　ファシリテーション・グラフィックには、①聴く、②要約する、③描く、④構造化するというステップがあります。まず①の聴くでは、話し合いのテーマに対して、どんな切り口で何が言いたいのか、結論やキーワードを正しく聴き取ることが大切です。わからない場合や聞き逃した時は聞き直して確認します。

　②の要約が最も難しく、かつ重要です。ファシ

グラでは発言内容を取捨選択し、発言のどこを抜き取り描けばいいかを瞬時に判断します。目的に照らし合わせて、話の流れや論点、他の意見との違い、場の雰囲気などを見て要約します。意訳やまとめすぎはグラフィッカーの主観が入るため、できるだけ発言者の言葉を活かして使って描くようにします。

　③の描くでは、短いながらも要点をおさえ、その場に参加していない人にも伝わるような主語や述語を意識します。例えば、A部署とB部署の意思疎通が不足している状況を描くとき、「コミュニケーション不足」ではなく「部門間のコミュニケーションが不足」と表現するだけで、背景や文脈がわかりやすくなります。

　④の構造化とは、一枚の紙を意味空間としてと

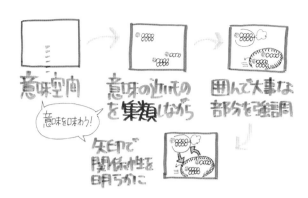

構造化して書く

らえ、どこに発言を描くのかを決める作業です。私の場合は、意味の似ているものを近くに、似ていないものを遠くに描き、関連が明らかになったら矢印を引っ張り、全体像が見えてきたら重要なキーワードを強調します。構造化の方法は目的に応じて異なりますが、あらかじめフレームワークを決めておくのも有効です。

何を描けばいいかわからない！ まちづくり現場で戸惑いからのスタート

主張が対立しギスギスしていた場が和やかで建設的に

　私がファシグラに出会ったのは2000年です。大学生だった当時、新潟を拠点に活動するまちづくりNPOの住民参加ワークショップで、お手伝いとして見様見真似で描いたのがきっかけでした。話を聞きながら同時に描くことも、何をどこにどう描けばいいのかもわからず、呆然としました。手が

止まってしまうのです。「上手く描けるようになりたい」との一心で、まちづくりだけでなく、医療や歯科、福祉、都市計画、環境などさまざまな現場に飛び込みました。とある自治体では、行政施設建設の合意形成にまつわる場でファシグラを描きました。「違う場所に建設してほしい」などの反対意見が出ると、やはりその場に緊張が走ります。それでも、否定的な意見こそ臆せず描き残すことが大切です。賛成反対どちらの立場であっても、互いの意

見を尊重して耳を傾ける姿勢があれば、徐々に和やかな雰囲気で冷静に話し合うことができ、自分の利害だけを主張する人は自然と減っていくことを学んだ経験でした。

身近な課題解決や
家庭内合意形成でも欠かせない

それからの学生生活は、どんな場でもファシグラを活用する日々でした。サークルの会議やゼミでの合意形成はもちろん、大学の授業も、ファシグラをしながらだと自分なりの理解が深まり、学ぶ意欲が高まりました。彼氏と喧嘩をした時には互いのモヤモヤとした感情や考えをファシグラで書き出し、どうしたら仲直りできるのか、解決策を考えました。現在も、子どもの名前や保育園を決める際、子育ての役割分担など、多様な場面でファシグラを使って課題を解決し、合意形成をしています。

目的に応じて様々な描き方や
アプローチを取り入れる

合意形成、アイデアの発想、情報共有、振り返りやハーベストなど、目的やテーマによってファ

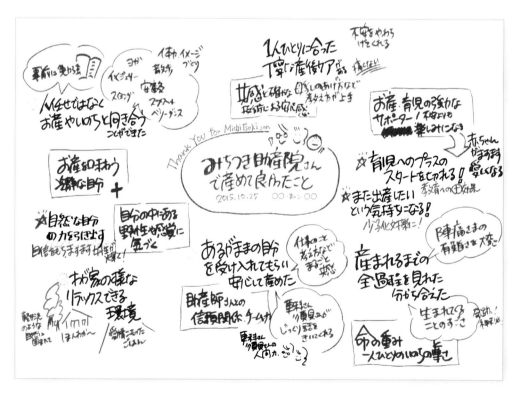

子どもの出産後に夫や助産師さんとファシグラした時のもの

シグラのアプローチはさまざまです。例えば、ある観点でもれなく意見を出したい時は「マトリクス」で、3カ年の計画をつくりたい時は「時間軸」を予め示します。他にも、「マップ」「4象限」など、目的やゴールに応じて効果的なフレームワークを取り入れるのがポイントです。具体例を挙げてみましょう。例えば、教育現場で地域と学校が総がかりでまちの目指す教育やビジョン、理想像を描く合意形成の場合。どんな子どもたちが育ってほしいか、違いを認め合いながら、子どもを核とした地域づくりや人づくりをしようという意識を育むため、まずは教員・保護者・地域住民などそれぞれの立場で共通する願いや相違点を明らかにします。最初は壁やホワイトボードに向かって話をしてもらいます。日々の力関係を持ち込んだり互いの顔色を伺ったりせずに、話し合いに集中するためです。1枚の紙にみんなの意見が描かれることで、一体感が生まれます。

また、アイデアを発想するために描く場合。例えば何かのテーマやコンテンツを決めるときなどに有効で、小さな創造の種を見落とさずに関連づけたり、集約しやすくしたりできる利点があります。とある学校が発行する保護者向け冊子の編集会議では、思いついたアイデアをどんどん描いていく場を設けると、あっという間に内容が決まりました。

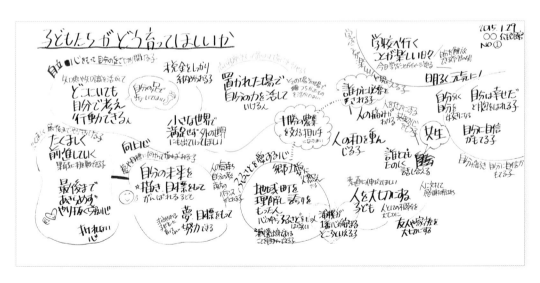

どんな子どもたちに育ってほしいか、多様な関係者で共有する

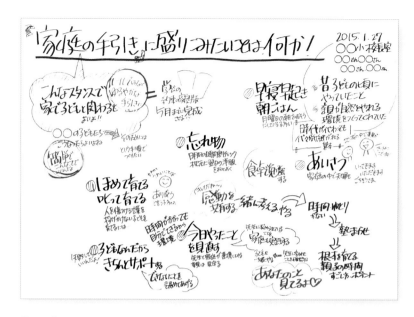

冊子に載せるコンテンツのアイデア出し

場の一員として、愛を持って場に寄り添い、鏡となって写し出す

描き手自身が話し合い
ど真ん中に飛び込んで参加者を巻き込む

　ファシグラをするうえで大切にしていることが3つあります。第一に、ファシリテーターとグラフィッカーの連携です。あなたがグラフィッカーならば、いつも話し合いの目的やゴールを見通すファシリテーターのサポート役という意識をもつこと。あなたがファシリテーターなら、論点を整理・確認するツールとして積極的に模造紙を活用するよう心掛けます。グラフィックが遅れ気味なら、参加者とこれまでの発言を確認しながら追いつくのを待つなど、

グラフィッカーのペース配分をフォローすることも大切です。

　そして、グラフィックが「壁の花」にならないようにすること。せっかく可視化された議論を場に活かさず、グラフィッカーがただ黙々と描き場と解離する状態ではもったいないです。グラフィッカーはアシスタントファシリテーターでもあることを自覚し、話し合いが停滞したときは自ら描いた内容を振り返り論点整理をする、などの積極性も欠かせません。

　グラフィッカーも、場の一員です。場で起きていること、参加者の感情や盛り上がりなども敏感に察知し、うなづいたり、笑顔で話を聞いたりして、

一員として参加していることが伝わるように意識します。

発言の良し悪しはジャッジせず、全発言に対等な立場で模造紙を描く

第二に、発言の良し悪しをグラフィッカーが判断しないこと。グラフィッカーには客観性も求められます。参加者の意見を描くことは、参加者の存在を受け止め尊重することと同じです。自分の発言は描かれなかったとがっかりして、だれかの参加意識を下げることはあってはなりません。以前、小学5年生にファシリテーションやファシリテーション・グラフィックのスキルを伝える授業をしました。その休憩時間に「僕の意見を描いてくれてありがとう。はじめて描いてもらって、うれしかったです」と話しにきてくれた児童がいました。自分の意見を言うのが苦手な子どもは、発言が採用されない経験が積み重なると、次第に「僕の意見はどうでもいいのだから、発言しても意味がない」という悪循環

子どもたちを対象にしたファシリテーション授業も

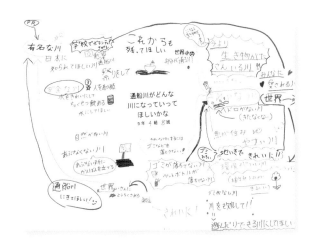

初めて描いた5年生たち。それぞれの願いや関連性も見え盛り上がる

に陥ってしまいがちです。描くことは、あなたの意見も、あなた自身も大事だよという参加者一人ひとりとの対話でもあるのです。

下手でもいいから場と融合して映し出す

第三に、模造紙は場を映し出す鏡であるという意識です。綺麗に描くより、その場の臨場感をそのまま逃さず捉えることが大切です。以前、精神科の病院で「家族」をテーマに場をつくったときのこと。模造紙を描きながら、参加者の皆さんの家族に対する申し訳ない気持ちや言葉にならない感情に涙してしまったことがあります。その時の模造紙はごちゃごちゃでお世辞にも綺麗とは言えない出来でした。しかし、家族に対する思いをしっかり分かち合えた場となりました。描き手として、発言や場の空気に対してなるべく中立な存在としていることを心がけていますが、この経験以降は、グラフィッカーが場の鏡になれたかどうかも一つの価

値軸になりました。客観性はもちろん大事だけれど、参加者の感情に寄り添って場と融合することを恐れない選択も必要です。

精神科の病院で、参加者の切実な思いに共感した忘れられない1枚

一人ひとりが尊重される場づくりが組織・社会づくりへ

　会議や話し合いは、そのチームや組織、プロジェクトを表すものです。その積み重ねが風土や文化をつくります。何気ない会議の一つかもしれませんが、その一回一回が大切です。だれか声の大きな人の意見で物事を決めていくのではなく、一人ひとりの個性や価値観が尊重され、活かされていくチームや組織にしたい。そう願うならば、日々の場においても、みんなの声や意見を可視化し、尊重していくことが大切です。そのための手段として、ファシグラはとても有効です。

　一人ひとりが活かされることで、チームや組織に協働関係が育まれ、その積み重ねで社会全体もより良くなっていくのでないでしょうか。そんな小さな一歩にファシグラが活用されたら嬉しいです。

（2）組織を創発する：グラフィック・ファシリテーション

エコロジカル・アーティスト

井口奈保

流動的な組織モデルを可視化するツール

グラフィック・ファシリテーションは、ビジュアルを使ってコミュニケーションを促したり、自分の思考をほかの人に伝えたりする際に役立つ自己表現の1つだと思っています。自己表現、といっても、その場にいる全員でインパクトを共有できるのがグラフィック・ファシリテーションの最大の強みです。実際の行動につながる議論に伴走したり、意思決定プロセスを手助けしたり、組織内での複雑なチャレンジやビジネスの工程を視覚化します。企業の組織変革などを促す組織心理学を専門としてきた私自身も、10年以上ものあいだ、多くのプロジェクトを動かしながら、活用してきました。組織の文化や新しいビジョンをつくるなかで、混乱や対立、葛藤が立ち現れたときに、一度じっくりみんなで足並みを揃える。困難な状況にグラフィックを加えると、そのプロセスが何倍にも明快に、創造的になります。

長期的な変革を生む
グラフィックの仕込み方

組織開発や組織変革は、中・長期的なプロジェクトが多いという特徴があります。継続的な旅路においては、グラフィックに参加者自らが働きかけ

たインプットが入っていることが大切です。だからこそ愛着が生まれ、数年経ったあとでも鮮明に思い出せ、振り返ることができます。視覚的な情報は記憶に刻まれやすいのです。一方で、グラフィックは非常にパワフルですが、すべてを解決してくれるわけではもちろんなく、プロセスを形づくる骨子と捉えることが大切です。

また、組織開発の案件でグラフィックを活用する際に心がけているのは、組織心理学の理論やコンサルティング実践法をもとに、グラフィック・ファシリテーションを行うことです。影響を受けたものの1つが、社会心理学者であるエドガー・シャイン[1]のプロセス・コンサルテーションという手法です。案件の最初から最後まで、一連の流れにグラフィックをどう活用するか考える際は、チームメンバーの1人、つまり当事者としてどう関わっていくのかが重要です。

組織心理学の理論がベースにある実践

組織変革の実践手法としてグラフィック・ファシリテーションを知ったのは、留学していたアメリカの大学院在籍時です。独自の組織モデルを描いてみようという課題で、ほかの学生がダイヤグラムや見慣れた四角やリニアなモデルを描くなか、私の流動的な組織モデルを見た教授から「君にはグ

ラフィック・ファシリテーションが向いているかもしれない」と教えられたのです。そこから、グラフィック・ファシリテーションの第一人者であるデビッド・シベットの会社であるThe Grove Consultants International社（以下、Grove社）で、インターンを始めました。グラフィック・ファシリテーションのトレーニングを受けたGrove社では、デビッドと彼の同僚が80年代に開発し、Grove社のコンサルティングの素地となっている、Drexler/Sibbet Team Performance Model®*2を始め、多くの組織学に基づいた方法を学びました。さらに、グラフィック・ファシリテーションのテクニック面で言うと、絵を描く前に、まずは徹底的に言葉を聞き取り、文字を書けるようになることを一番最初に練習しました。アクティブリスニング*3が訓練の最優先事項で、その基礎力が身についていない段階では必ずしも絵を多く描く必要はありません。クライアントと一緒に場をつくっていく、オープンで参加型なプロセスには、クライアントと一緒に取り組めるワークの選び方も大切です。

目指す社会を可視化する

また、2013年からはドイツに移住し、アーバンデザイン（都市計画）の領域で人が都市において自然の一部としてどう生きるか、というプロジェクトを実験的に取り組むエコロジカル・アーティストとして活動し始めています。だれかから依頼を受けてグラフィック・ファシリテーションの仕事をするこ

とはほとんどなくなりましたが、自分の関わっているプロジェクトのミーティングなどではよく使います。より良いコミュニケーションを生み、目指す社会の実践知を可視化するためには、今も変わらず有効な手法のひとつとして活用しています。

上の図は、ベルリンの壁崩壊25周年を祝う準備として、ピースイノベーションラボ・ベルリンが主催したイベントで行ったグラフィック・ファシリテーションです。祝祭の日に壁沿いに飾られる予定の風船が舞い上がるイメージをベースにしました。ソビエト連邦占領のもと、一党独裁政権下にあった東ドイツの国民が、閉ざされた壁を打ち壊して外の世界と自由につながりたいと願った様子や「平和な変革」とも言われるベルリンの壁崩壊の希望に満ちた様子を表現しています。下の図は、都市そのものを国立公園のように捉え、自然保護と生物多様性のためのアクションを、市民・行政双方から起こそうとする「ナショナルパークシティ」というムーブメントのグラフィックです。ナショナルジオグラフィックの探検家によってロンドンで始まった活動のベルリン版の立ち上げイベントで描きました。今すでにあるベルリンの豊かな自然を維持し、広げていくためにどんなアイデアが必要か、話し合った記録です。

欧米諸国の話し合いでは、日本よりもビジュアリゼーションが市民権を得ています。ひらめきは電球、あったかい気持ちはハートといったような普遍的なメタファーはもちろん、場に集まる人々が共有するストーリーを紡ぐためにもメタファーを多用します。

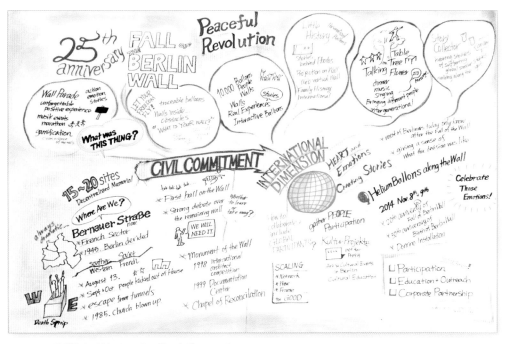

ベルリンの壁崩壊25周年イベントで描いたグラフィック

「ナショナルパークシティ・ベルリン」立ち上げイベントで描いたグラフィック

マス目のノートと模造紙を手放し、まずは自由に描いてみる

　グラフィック・ファシリテーションの初心者のみなさんにおすすめしたいのは、2つのことです。1つは「自由に描く」という行為に慣れることです。まず、真っ白なノートを使ってください。罫線や方眼が入っていないことが重要です。罫線があると、無意識のうちに線に沿って描くよう心理的な制限がかかり、線の中に文字を納めようとしてしまいます。何かに沿って描くのではなく、自由に描くことを意識してみてください。もっと言えば、表面から描くのではなくて、裏面から描いたって良いんです。自分の自由な体の使い方を知ることが、大きな模造紙で描く前に必要な準備体操です。机の上にいつも真っ白いノートを広げ、これまでのノートの取り方をあえて逸脱するよう心掛けてください。私自身、グラフィック・ファシリテーションを始めてから、マス目や線があるノートは一切使わなくなりました。

　2つ目は、「壁に向かって大きな紙に描く」という身体の動きに慣れることです。最初は、文字を小さく書きすぎてみんながわからなかったり、逆に大きく書きすぎて文字や絵が入りきらなかったりするはずです。これは、身体が縮こまってしまっていることが原因です。模造紙の前に垂直に立つのもいいですが、ヨガみたいに少し足を広げて描いてみたり、屈んで描いてみたりしてください。スポーツや楽器と似ていて、身体的に慣れていくことが大事です。

＊1）**エドガー・H・シャイン**
マサチューセッツ工科大学（MIT Sloan Fellows Program）名誉教授。組織文化、プロセスコンサルテーション、リサーチプロセス、キャリアダイナミクス、学習する組織など組織変革の専門家。

＊2）**Drexler/Sibbet Team Performance Model®**
アラン・ドレクスラーとデビッド・シベットが10年かけて開発した統合的なチームパフォーマンスモデル。チームを生成、維持する際の7つのステージを表す。グローブ社のHPに詳しい。https://www.thegrove.com/methodology_drexlerSibbetTeamPerformanceModel.php

＊3）**アクティブ・リスニング（傾聴）**
固定観念、先入観など自分の価値基準から他者の言動をジャッジすることを一旦留保し、他者が何を伝えようとしているのか、その意図や背景を知りたいという純粋な好奇心を持ちながら、そばに寄り添い耳を傾ける術。

第4節　可視化のパターンとバリエーション　　有廣悠乃

話し合いの目的によって、グラフィックの活用の仕方は変わってきます。描く前には、用途や活用方法をしっかり確認して、その場に必要なグラフィックを見極めましょう。ここからは描く前のチェック項目を紹介します。

☑ CHECK1：3つの目的を選ぼう

可視化の目的は、記録、収穫、場の活性化と大きく3つに分類できます。もちろん、2つの掛け合わせだったり、3つともが狙いだったりすることもあります。

☑ CHECK2：活用のイメージを持っておこう

作成したグラフィックを活用するタイミングも様々です。講義録などの活用も増えていますが、本書では、模造紙を囲んで議論や対話を創発する、リアルタイムの活用を基本としています。可視化による場の活性化は、終了後の振り返りにも有効で、場の満足度を高めてくれます。中長期的な複数回のプロジェクトであれば、次回への橋渡しとしても活躍します。

☑ CHECK3：描く人はだれ？

描き手が率先して議論を動かす場なのか、描くことすら参加者に委ねて主体性を醸成するのか。場への関わり方や役割が違うだけでも、参加者の場への主体的な参加が促されたり、参加者の対話を深めたりする役割になります。

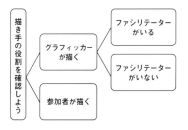

グラフィッカーが描く

- **あなた以外にファシリテーターがいる場合**
  ファシリテーターと協力しながら場を進行することもあります。事前の打ち合わせはもちろん、グラフィッカーはファシリテーターとうまく連携し、話し合いの目的を共有しながら二人三脚で進行することが大切です。

- **ファシリテーターがいない場合**
  グラフィッカーがファシリテーションもしながら描くこともあります。少々難易度は上がりますが、参加者から考えや思いを引き出すよう声をかけることが大切です。

参加者が描く

グラフィッカーだけではなく参加者自身が描きながら議論する場もあります。この場合、最初の一言を率先して描いて「私も描いていいんだ」と思ってもらうなど、参加者が気負いなく描き始めるきっかけづくりが大切です。ワールド・カフェなどのグループワークだと、参加者自身でグラフィッカー兼ファシリテーター役を務め、主体的に場をつくってもらいます。

☑ CHECK4 ： 場の目的と絵・文字のバランス

絵が多めか、文字が多めか、描くスタイルは人それぞれです。場の狙いによっても使い分けが肝心です。
ここでは、4象限に分けて特徴を捉えてみます。

① テキスト（文字）で話されている内容を忠実に書き取っていく
ことが基本です。次のアクションにつなげたいプロジェクトや
ディスカッションの場で有効です。また、表やグラフ、矢印な
どを用いて、話の内容を構造化すると、議論が整理されて参
加者の理解度が深まります。

② 絵やアイコンは、アイデアを創発したり未来のビジョンを描
いたりする場で効果的です。自分の頭で想像できていても、
言葉で伝えきれない頭の中のイメージは、絵やアイコンを使っ
たほうが伝わりやすくなります。

③ プロジェクトや会議のようにゴールが決められている議論で
はなく、話者の感情や思いに寄り添うような対話の場では、
特に丁寧に言葉を抽出する必要があります。注意しておき
たいのは、言葉と感情がちぐはぐな場面も多いことです。特
に注意深い傾聴が求められます。

④ メタファーを用いて、その場のエネルギーや熱量を表現する
場合があります。心温まる場でハートを描いたり、内省や探
求の場で海に深く潜っていくような絵を描いたりします。

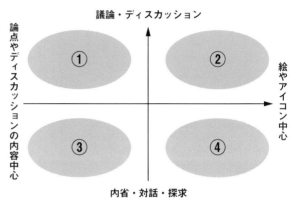

☑ CHECK5 ： グループサイズはどれくらい？

1対1の対話でカウンセリング形式の探求を行うのか、100人規模での合意形成が目的なのか、話し合い
の規模によって適切な目的を設定することが大切です。

① 多人数の合意形成や意思決定の際などに効果的です。ま
た、振り返りの際などにも、有効です。

② 例えば数十人規模のグループ内で、プロジェクト進行や数
日にまたがるワークショップなどを行う場合です。複数回で
行われる場合は振り返りや情報共有に用います。

③ 少人数、あるいは対人支援などで、話者の言葉を描きとって
考えや気持ちを承認し、安心感を与えることができます。

④ 個人の経験や歴史を描き出すことにより、話者の振り返り
になる場合があります。

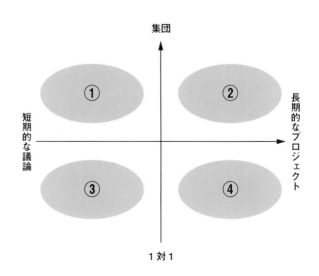

2章

ひと・ことを創発する
「場づくり×可視化」の現場

Recorded by

マーケティング会社に勤務し、クライアントの新商品開発、組織開発に伴走しそれらの業務で可視化を行っています。だれかと共感しながら美味しいものを食べている時が一番幸せな食大切派です。

株式会社アイ・キューブ マーケティング室
共創デザイナー
稲垣奈美

グラレコ歴／頻度
グラフィックレコードと認識してからは約3年／1週間に1、2回程度

どんな立場で描いている?
社内会議やグループインタビュー、ワークショップのファシリテーション、イベントなどの場づくりサポートとして

フラットな関わりしろのある
社内会議づくり

会議を動かすのは記録されている安心感

会議中、だれもしゃべらない。みんな下を向いている。空気が重い。そんな会議を20代の頃経験しました。変えなければマズイとホワイトボードをドキドキしながら持ち込みました。「目的」と「プロセス」の2つを可視化するだけで、場の安心感はぐっと高まります。ホワイトボードが対話や議論の中心にあると、下を向いていた参加者は自然と顔を上げ、可視化されたものを眺める表情から言葉にできていない気持ちにも気づきやすくなります。議論の「プロセス」が可視化されると、予定調和ではなく場の意見を取り入れながらも有機的に変化する対話や議論が促進されます。それに実は多くの場合、会議の空気が重い理由は"なんとなく目のやり場に困っているだけ"だったり"何の話だっけ? 何が目的だっけ? と迷子になっているだけ"だったりするもの。ホワイトボードの可視化で場はやわらかくほぐれていきます。

対話や議論のスタートラインを揃える

参加者それぞれの持っている知識量が違うと、会議自体も3歩進んで2歩下がる(前に進んでいるようでほとんど進んでいない)場になってしまう、対話に参加できない人が出てしまう……という経験がある方は少なくないのではと思います。それを防ぐには、会議のスタート時に参加するさまざまな知識量の人がフラットに関われる基礎情報を、みんなで共有することが大切で、#1のように、たくさんの情報を網羅的にインプットできるような、文字以外(絵や図や写真)の表現を使用した可視化が効果的です。A4サイズの紙に羅列したテキストの情報でなく、大きな模造紙で、自由に知識を持ち寄れるゆるやかな可視化は、みんなが参加したいと思える場づくりとしても有効です。参加者同士で情報をインプットしあうプロセスは、場に「共通言語」を生むための下準備になります。

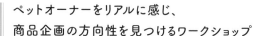

#1 対話の土台をつくる網羅的インプット

ペットオーナーをリアルに感じ、
商品企画の方向性を見つけるワークショップ

📅 2019年7月　📍株式会社アイ・キューブ　コ・クリエーションスペース UOVO
👥 ドギーマンハヤシ株式会社　商品企画担当者／6人
📓 A4用紙、カラーペン[プロッキー / Neuland]

商品企画プロセスの一環として、ペットオーナーとペットのリアルな生活を知るインタビューを実施。最終ステップとして、チーム内での共通言語と開発テーマを生み出すためのワークショップを行なった

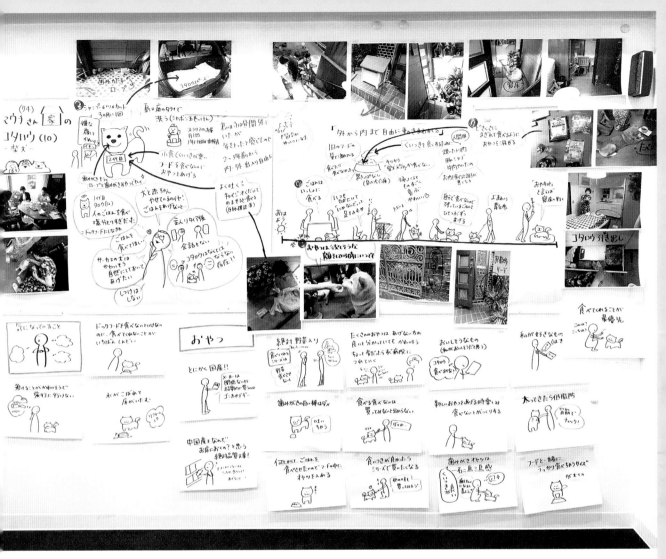

ワークショップの流れ

1. 人物像の共有ディスカッション
2. どのような生活をしていたかをディスカッション
3. 何を大切にしていたかをディスカッション

情報共有後活発にディスカッションする参加者たち。私も時折介入

壁の位置決め

参加者が文字を読みやすいベストな場所に紙を貼る。今回は俯瞰して見れる位置に。文字サイズ、太さに気を付けて離れても見えるようにする

Tips

写真をふんだんに使用する
膨大な情報（ここでは生活者の暮らし）を感覚的に共有できるよう写真をプリントして貼り出す

線状タイムスケジュール
生活の流れをリアルにイメージできるようタイムスケジュールを可視化する

参加者の"関わりしろ"を残す

対話を大切にしたい場での可視化は、余白を残すことを特に意識しています。余白を多めにして、ゆるやかにのびやかに可視化することが、参加者の"関わりしろ"となって新たな発言が生まれやすくなるように感じます。#2のように、参加者自身に気づいたことを付箋に書いてもらうのも効果的です。付箋を貼って共有するプロセスがみんなで場をつくりやすい状況を促し、安心して思い思いに意見を交わせる場だと感じてもらうことにつながります。反対に"きっちり、びしっ!"とそろったテキストは、参加者側が無意識のうちに「わかりやすく、端的にロジカルに話さないといけない」と思ってしまい、不要な気負いを与えてしまうことにつながる場合があります。

みんなで意味を見出せる場づくり

組織開発の場をサポートするときは、参加者が意識せずに話している共通のキーワードを見つけるようにしています。#3の模造紙では、参加者全員で互いの言葉を見渡すことで「全員が共有していた企業価値」が改めて顕在化し、その価値を高めるための手段や伝えるための方法といった具体的なネクストアクションへ話が展開し、自然と会議が収束していきました。ペンを走らせながらも、参加者の声のトーンや間、何度も出てくる言葉などに耳を傾けていると、自然と参加者よりも早くキーワードに気づけるようになります。話される言葉だけでなく、表情や語り口から言葉に上乗せされた感情にもしっかりと寄り添って一つひとつ丁寧に可視化することを大切にしています。

#2 上下関係をフラットにして対話を促す

アイ・キューブの理念・ビジョンを改めて解釈し、
具体的な事業へ落とし込むワークショップ

🗓 2020年7月　📍株式会社アイ・キューブ　コ・クリエーションスペース UOVO
👥 アイ・キューブ社員／7人　🗂 模造紙、A4用紙、付箋、カラーペン[プロッキー]

心をほぐして話せる場づくりをサポート!

新たな体制、新しい人員が入ったなかで、みんなで対話を通じビジョンを再解釈 目指したい方向性を確認する場をつくる

ワークショップの流れ

1. 自身の思いを語る
2. 思いを聞き、その人は何を大切に思っているのかを付箋に書く
3. 書いた付箋を貼って共有しながら対話する

✏ 言葉＋感情で描く

キーワードとなる言葉を絵と共に可視化していくことで感情を場に残す

言葉＋αの気持ちも受け取る。例えば、気持ちが燃えている感じなどといった抽象的な表現も絵で残す

Tips

付箋で全員参加型の場づくり
模造紙を対話の土台として活用した例。全員で全員の思いを聞き合いそれぞれで付箋に可視化してもらう

フラットな議論の場づくり
上下関係が出ないように、順不同で全員同面積の中で可視化する。この時は1人1枚の模造紙

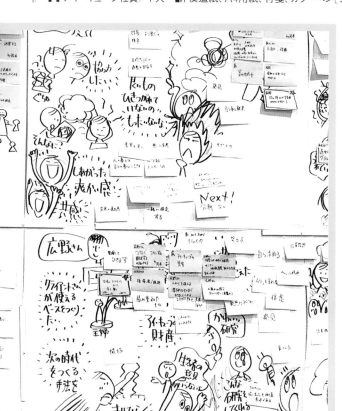

#3 すくい上げた大切な言葉を原動力に

河原工房という組織のエッセンスを確認し
これから変わりゆく未来に何をしていくかを見つけるワークショップ

📅 2020年6月　📍株式会社アイ・キューブ　コ・クリエーションスペース UOVO
👥 株式会社河原工房 代表取締役 ＋ 社員4人　📋 模造紙、A4用紙、カラーペン[プロッキー]

アフターコロナ時代に起こす
企業アクションのアイテム選定
ワークショップ。大切にしたい
ことを各々が改めて言葉にし、
不確実性の多い未来に何をし
ていくかを見つける

その場の感情も残せるそれがグラレコ

- 表情で感情を残す
- 貼れるだけ貼る

対話のプロセスすべてを俯瞰で
きることが納得感につながる。
参加者が見やすい位置に貼れ
るだけ模造紙を貼る

⓪ 事前の打ち合わせにも可視化を用いた。代表の思いをしっかり
把握することができ、その後の議論を深めやすくなった

↓

① 対話を可視化していく…大事だと受け取った言葉は大きめに描く
② 対話の進行に沿って、重要度が高いものは黄色で囲んでいく

Tips

プレ可視化体験を実施する
事前に代表の思いをうかがいながら可
視化を体験してもらったので、当日もス
ムーズに進行できた

声色や頻出度合いにも注目
その場の大切な言葉を拾うため、声色・
声のボリューム・言葉の頻出度合いな
どにも意識を傾ける

大事なものが整理され、自然とネクストアクショ
ンの対話へ

思いの共有後のディスカッション

⚓ 反省点
スペースが足りなくなり、慌てて紙を追加した

Recorded by

事業会社のIT部門でユーザーサポートやトレーナーをしながら、二足のわらじで「描くファシリテーター」としてワークショップなどの仕事もしています。文具好きで、ファシリテーションに向いた文具を紹介するブログを運営しています。

ITトレーナー／フリーランスファシリテーター

青波ゆみこ

グラレコ歴／頻度

会議は20年以上（いわゆるグラレコは5年）／勤めではほぼ毎日、フリーの仕事は月2、3回

どんな立場で描いている?

勤 め：IT オペレーション部門のスタッフとして、会議、顧客やメンバーのヒアリングを描く

フリー：グラフィックレコーダーやファシリテーターとしてイベント、ワークショップなどに企画から参加

あいまいな日常作業を
実効力ある仕事に変える

ルーティンワークに役立つ可視化

IT サポートなどマニュアルが整備された職場は、場づくりや議論といった言葉には縁遠い印象があるかもしれません。例えば、#1のようなコールセンターでの接客は業務プロセスが厳格に標準化されています。反面、コールセンターは「感情労働」の代名詞ともいえる職業で、言葉でマニュアルに表現しきれないテーマを議論する機会も多くあります。担当者によって受け止めかたや解釈の差が大きいそれらも、描いたものを見ながら話すと課題についての共通認識をつくりやすくなります。私は一スタッフとして、日々自身やメンバーの捉えたことを描き、議論してきました。ここからは、機密性の観点から公開されにくい「スタッフによるルーティンワークの可視化」例を再現して紹介します。

言葉で表しづらい要素を客観的に評価する

#1は、電話での接客態度を録音で振り返る会議の再現です。会話の音声は言葉で表現しにくい「間」や「声音（こわね）」を扱うことや、時間軸をもつという特徴から、客観的な評価がとても難しいものです。評価者によって差をつくらないよう、基準の解釈や適用は定期的にすり合わせを行いますが、言葉だけで議論していてもその差は埋まりません。そこで、簡単なイラストで問題となる箇所を描き出しました。一方的な解釈にならないよう、「こんな感じで合っていますか?」と参加者の意見を聞きながら描いていきます。そのため、描かれた絵はお世辞にも上手ではありません。しかし、言葉での表現からこぼれ落ちる「感情」をできる範囲で描きとめると、言葉にも絵にもしづらい要素に集中して話し合うことができました。

#1 すれ違いがちな感情労働に納得感を

対応ケース検討会議

📅 2014年ごろ　📍社内会議室（企業内コールセンター受託部門）

👥 企業内コールセンター部門担当社員4人、コールセンター受託会社担当社員2人

📝 模造紙、カラーペン［プロッキー］

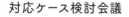

「問題あり」と判断されたカスタマー電話対応の録音を関係者全員で聞き、採点基準やルール適応をすり合わせる会議

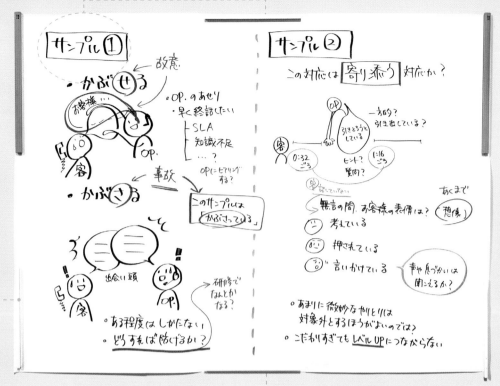

議論が進んだ時点で会議室の壁に模造紙を貼り、ポイントを描きとめた

① 常にホワイトボードに書き込みがあり消すことができない
会議室のため、あらかじめ模造紙を持参

✎ 「いつもの会議室」として描く

あえて会議室備え付けのマグネットで貼り付ける。議論に
集中してもらうために、できるだけ会社の備品だけで可視化
を進める

↓

② 開始時には模造紙を貼らない。話が込み入ってきたタイミ
ングを見計らい、模造紙を貼る

✎ できるだけ近くで描く

スクール形式が固定されている会議室のため、ホワイトボード
ではなく横の壁に模造紙を貼り、参加者の視線を集める

③ 1件の検討例につき模造紙半分程度のスペースを見込ん
で書き始める

✎ 簡略化できる情報を見極める

「サンプル①」は「検討例①」の意。「この場限りの記録」
を強調するため、参加者間で共通認識を持っている情報は
徹底的に簡略化して書く

↓

④ 黒のペンでいったん論点を描き続ける。赤や青は意見が
出たときに適宜加える

💧 反省点

できればホワイトボードを使いたかった。「描く人」と認識
されても模造紙を取り出すとやはり場が少し構えてしまう(た
だし、笑いで場を和ませる効果はあった)

Tips

模造紙を貼るタイミング
描く習慣のない職場で、初めか
ら模造紙を貼ると参加者の警戒
心を高めてしまう。その後の話し
合いが進みにくくなるので注意

3色程度での可視化を心がける
可視化に不慣れな職場で議論を描く
場合は、ペンの本数を黒・赤・青色
程度に絞る。たくさんの色ペンを持っ
ていると、不自然な印象を与える

イラストは2秒で描けるものを
判別できる程度にさらっと描いて
省力化されたイラストだと、議論の
テンポを遮る心配もない

「知っていたけど気づかなかった」の正体

先の例は「言葉にできないことを描く」ものでしたが、IT関連などロジックがベースにある業務でも、描きながら議論すると見落としていた課題に気づくことがあります。#2は既存ITシステムのワークフロー機能を使って定型業務の改善ができないか、という相談を受けた際の再現です。相談者は監督省庁への申請業務に精通しており、また私は担当とし

てシステム仕様を熟知しているはずでした。しかし、業務をヒアリングし、ホワイトボードにデータの流れを絵で描き出すまで、システムが国の求める要件を満たせずアイデアを実現できないことに気づかなかったのです。このアイデアは実現しませんでしたが、2人で知恵を出しあい、1つの絵を完成させる作業が次のステップ（作戦変更）につながりました。

#2 「わかっているつもり」をあぶり出す

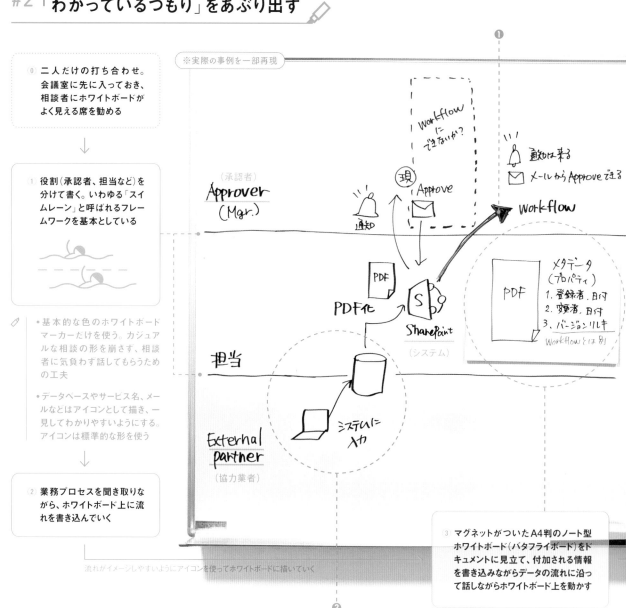

⓪ 二人だけの打ち合わせ。会議室に先に入っておき、相談者にホワイトボードがよく見える席を勧める

① 役割（承認者、担当など）を分けて書く。いわゆる「スイムレーン」と呼ばれるフレームワークを基本としている

・基本的な色のホワイトボードマーカーだけを使う。カジュアルな相談の形を崩さず、相談者に気負わず話してもらうための工夫

・データベースやサービス名、メールなどはアイコンとして描き、一見してわかりやすいようにする。アイコンは標準的な形を使う

② 業務プロセスを聞き取りながら、ホワイトボード上に流れを書き込んでいく

③ マグネットがついたA4判のノート型ホワイトボード（バタフライボード）をドキュメントに見立て、付加される情報を書き込みながらデータの流れに沿って話しながらホワイトボード上を動かす

※実際の事例を一部再現

流れがイメージしやすいようにアイコンを使ってホワイトボードに描いていく

可視化を警戒させない日常をつくる

事例（#1、2）はいずれも、オペレーション部門でのルーティンワークに関わるものです。業務委託や非正規雇用のスタッフが多い現場では、ともすれば意見を述べることや新しいやり方を提案することは「余計なこと」として嫌われる傾向があります。また、話し合いを「書く／描く」文化がない環境（企業や部署）も多く存在します。そのような環境でもビジュアライズを活用するには、「だれかからの押しつけ」ではなく、いつの間にか存在していること、警戒されないことが最重要だと考えています。そのために、いつも大判の紙やノート型のホワイトボードを持ち歩き、どんなささいな話題でも必ず何かを描きながら話すようにしています。「話すときは描く人」のキャラクターが定着すれば、大成功です。

公的申請監査に関わるシステム構築相談

📅 2018年ごろ　📍社内会議室（企業内IT部門）
👥 企業内監督省庁対応部門社員1人、ITサポート受託会社担当社員1人
🖊 ホワイトボード、ノート型ホワイトボード、ホワイトボードマーカー

「サポート依頼」の形で持ち込まれた相談に対し、実現可能かどうかを一緒に考える簡易な打ち合わせ

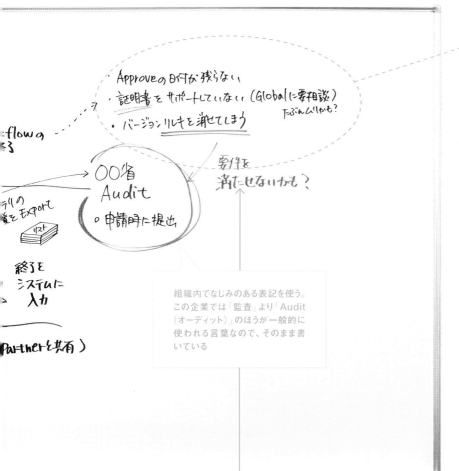

④ 話しながら気になったことをすべて余白にメモする。監査の要件やシステム仕様に関する内容が多い

組織内でなじみのある表記を使う。この企業では「監査」より「Audit（オーディット）」のほうが一般的に使われる言葉なので、そのまま書いている

Tips

❶ ターニングポイントは大きく太い矢印を
実際の業務プロセスが変更される箇所を目立たせ、差異を強調する

❷ 目に見えにくい「情報」を可視化する
アイコンなどで動きをつけながら議論すると、流れや順序を踏まえて話しやすくなる

💧 反省点
ある程度フレームが埋まってから情報を得たので、すべてのステークホルダーを表現しきれていない。いったんボードを消して描き直す勇気を持つべきだった

1
組織づくり

Recorded
by

研修コンサルティング会社で企画職についています。主な仕事は組織が必要とする変化に向けたさまざまなアプローチを国内外から学び自社のソリューションに導入するサポート。変化を起こす対話の智慧のまとまりである、アート・オブ・ホスティング実践者。身近な関係性から社会の変化を促進するプロセスワークを学んでいます。

グラレコ歴／頻度

5年／1カ月に2回

どんな立場で描いている?

自組織の社内勉強会や顧客向けの研修や公開セミナーにて。可能な限り企画段階からプロセス設計に関わり、当日はグラフィッカー兼ファシリテーターとして動いています。社外では社会活動やトレーニングの場でチームを組んで描いている

株式会社ビジネスコンサルタント ESB 本部 探索事業開発グループ
伊勢田麻衣子

ゆっくり効き出す社内対話の仕込み薬

気づいたらそこに絵がある社内

例えばセミナーや勉強会のスケッチノートを社内SNSに投稿する。毎月の安全衛生委員会の議事録を模造紙の一枚絵にしてプリンタの後ろに貼りだす。可視化の魅力は、無機質な情報がやわらかなコミュニケーションの種になるところです。それとなくグラフィックが社員の目に触れる状態をつくろうと、地道に3年ほど描き続けるうち、「なんか絵が描

ける人」と認知してもらえるようになりました。今では、同僚から文字だけの説明資料をグラフィックで見やすくできないか、ワークシートに絵を入れられないかといった問い合わせが来るように。描き始めた当初に比べると、可視化という手段は社内でも格段に身近なものになりました。見慣れるまでには時間がかかり、最初は怪訝な顔をされることも多いですが、言葉で説明するよりもまずは体験してもらうことが大切です。

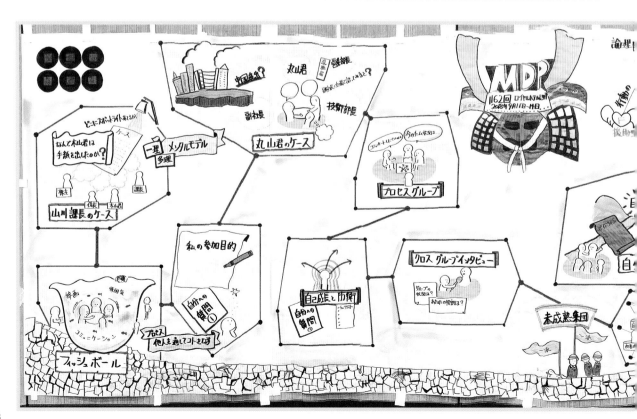

「面白そう」という導入への第一歩

色使いや紙面使いのバリエーションなど見る人を惹きつけ議論に巻き込むグラフィックは、そのまま報告書に使えたり、提案書の1ページに差し込まれたり、次のアクションを引き出します。2017年、マネジメント研修や公開セミナーを提供する顧客業務にグラフィックを導入しました。きっかけは、私がある社内セミナーで描いた模造紙です。大きな太い文字で講義の内容を可視化する模造紙が"面白そう"だと同僚のコンサルタントや営業の目に留まったのです。線の引き方や色のつけ方など、描く力は場の活性化に直結します。#1のような経営幹部向けの場であれば兜や城壁といった質実剛健なキービジュアルを描いたり、人が出会い感情を分かちあう場であれば淡いパステルやクレヨンを使うという具合に、経験を積むほど場に最適なスタイルが選べるようになります。イイナ、楽しいなと思ってもらうことが組織内実践への小さいけれどパワフルな一歩です。

#1 多様な視点を俯瞰し開発するマネジメント研修

第162回マネジメント・ディベロップメント・プログラム

📅 2018年9月　📍長野県松本市ロイヤルホテル長野
👥 さまざまな企業から集まる上級管理職（課長・部長クラス）約80人
＋ 自社スタッフ12人　🖊 模造紙、吹出しステッカー、カラーペン［プロッキー / Neuland］、パステル、パンパステル

> 1978年から開催している3泊4日のケースメソッド方式をベースにしたマネジメント研修。全体レクチャー、分科会に分かれてのケース討議、討議のプロセスを振り返るディスカッションを通じてマネジメント行動の変容を図る

1 **最初は白紙の状態からスタート**…レクチャー、実習内容などのセッションごとに進行に沿って描く

> 六文銭の中の色と、ブロックをつなぐ線は同じ色に。できるだけ色数を絞り込む

↓

2 **徐々に描き込まれていく様子を楽しんでもらえるように**レクチャー内容や9グループ分のディスカッションも描いたので、何日目のこの時間までに色塗り微調整を終わらせる、この時間は分科会を観察する時間、などと細かく行動計画を立てた

🖊 場の一回性を可視化する

参加者の多くが50歳前後だったので、歴史モノに関心があるかと予想

まちなかやタクシーなどいたる所に見られた真田一族の家紋、六文銭

会場のホテルロビーに展示されていた甲冑をキービジュアルに

💧 反省点

- セッションのタイトルとそれ以外の文字の大きさについて、ルールを決めずに描き始めた。情報の粒度と文字の大きさに整合性がない
- 城感を出したくて石垣を描いたものの、時間を取られ過ぎてしまった

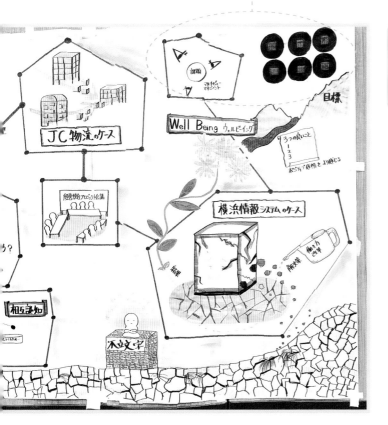

#2 イベントは準備8割！丁寧なプロセス設計

株式会社ビジネスコンサルタントがリリースしたSustainOnline（サステナビリティのオンライン教材）の発売記念イベント。サステナビリティに関する専門家のトークセッション、サステナブルシーフードを使ったランチ意見交換会、パネルディスカッションを行った

「SustainOnline」日本発売記念イベント
～SDGsが導く社会と経営のリデザインを考える～

📅 2019年4月　📍 東京都内イベントスペース　👥 ビジネスパーソン中心に約100人（4テーブル）　📝 スチレンボード、付箋、カラーペン
[Neuland / マッキーペイントマーカー（白）]

⓪ 事前準備

まずプロセスをデザイン

① 事前準備

スチレンボード上に
タイトルや似顔絵を描く

Tips

似顔絵の最後は当日に完成
似顔絵は事前に描くが完成させすぎない。ネクタイやスーツの色など当日にならないとわからない部分は残しておく

あえて余白を用意する
参加者の声を付箋で集めるためのスペースを空けておく

---

② 4名のスピーカーが話す内容をそれぞれ1枚のボードに可視化していく

↓

③ 5枚目のボードに全体メッセージを描き込む

✏️ **まとめにも図を効果的に使う**
付箋で集まった声と、イベントで話されたメッセージを俯瞰して、私からはこのように聞こえましたというまとめを図にする

↓

④ 並べて完成

ボードが5枚連なるとイベント全体のメッセージが浮かび上がるしかけ

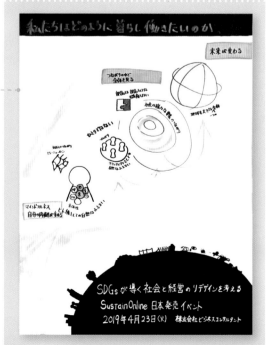

"呼ばれて描く"から"共に場をつくる"へ

描き手の仕事は多くの場合、運営側との事前打ち合わせから始まります。会の目的、どのような人が来るのか、参加者は何を期待して来るのか、終了後にどういうアクションを起こしてほしいのかなどを把握します。そのうえで改めて、何をどう描くと会の目的に沿った場になりそうか、主催者側とじっくりすり合わせます。#2のイベントは、一方通行ではない参加型の場をつくることが目的の1つだったため、ボードの中に空白を用意し、参加者の声を付箋に書いて貼ってもらいました。別のオンラインセミナーでは、スピーカーの話題提供をグラフィックをもとに3分程度で振り返り、その後に続くブレークアウトセッションの呼び水にしてもらいました。たとえスポット的に呼ばれて描く場であっても、描き手は運営側の一員として一緒に場をつくる存在です。事前準備はそうした関係性を築くうえでも重要です。

リモート時代に欠かせないビジネスツール

2020年はオンラインでの研修やセミナーが増えました。遠隔にいる他者と交流するうえで、アイデアや議論を「具体化」し、意見の「集約化」を図り、受け取られたという「安心感の醸成」や参加者の学びの「集合知化」を可能にする可視化はますます重要なツールになっています。「自分もやってみたい」という社内の声に応えて、「グラフィック・ハーベスティング実践者ゼミ」と題し、1コマ45分、3、4回シリーズのグラフィック講座を開催したところ、約20人が参加。「描く」という新たな表現方法を得て、表情が明るくなる人、部門を越えて集うワークを通じて互いの意外な一面を知る人など、手応えは上々。仕事上でも来春の新入社員向け研修を検討するための商談や今後の働き方を議論する社内ミーティングなどでグラフィックを使った板書を買って出る人が増えるなど、新たな動きが生まれています。

#3 リモートワークこそ共通理解と指差し対話

社内向けデジタルコラボレーション体験会

- 📅 2020年6月　📍オンライン／Zoom
- 👥 自社社員（営業・コンサルタント・役員）のべ約110人
- 🎨 Surface + Surface Pen、描画アプリ［Concepts］

2020年3月以降多くの営業活動や研修がオンラインベースに移行した。直接会って話せない歯がゆさを感じていた営業やコンサルタントに対し研修やコンサルティング活動をより効果的にするため、Miroとグラフィックの活用を体験してもらった。グラフィック部分は20分程度のデモンストレーション

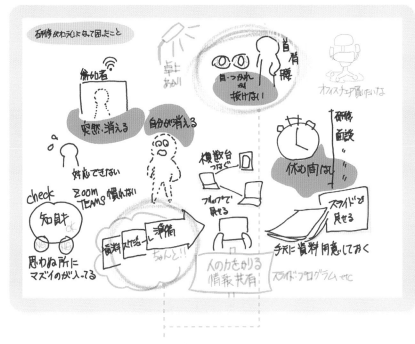

ドット投票でスタンフが集まったところて議論を深める！

1. 1回あたりの参加者30人、うち5人に話してもらう。テーマは「オンラインになって困ったこと」

↓

2. オンラインで参加型場づくり

 見ている人も参加できる仕組み

Zoomの画面共有機能でライブドローイング。開始8分ほどで描く手を止め、参加者にグラレコの共感する部分にスタンプ機能でリアクション（ドット投票）してもらう

↓

3. スタンプが集まったところをピンク鉛筆で囲み、考えられる「対処策」を4分間話してもらう

 前半後半の色分け

前半5人が話すときは青字、後半の「対処策」の議論は一枚上のレイヤーにピンク字で重ねる

さまざまな企業や地域の事業戦略の現場で、隠れた価値の発見・創造を促しながら、持続的なしくみづくりをサポートするクリエイティブファームです。デザインシンキングのアプローチを取り入れながら、ビジョン創出や商品・サービス企画、サービスデザイン、コミュニティデザインなどをリードしています。

Recorded by **株式会社グラグリッド**

 三澤直加   **和田あずみ**

グラレコ歴／頻度

10年3カ月／毎日

どんな立場で描いている?

事業戦略やサービスデザインのプロジェクトで、コンサルタントとして。可視化は、プロジェクトの協働や内省の促進、発想の飛躍をファシリテートする技法のひとつ

事業構想の足場をつくる瞬発力

市場・価値・関係性を捉える地図

価値観が多様化し、先行きが見えない現代社会。事業開発のプロセスでは、すべての活動を価値の連鎖（バリューチェーン）と捉え、組織が提供できる全体像をプロトタイピングしていく探索的なアプローチが求められています。しかし議論の過程で話されるのは、市場や関係性などいずれも形のない価値ばかり。事業の多様な関係者（ステークホルダー）同士が議論するのは難しい状況があります。そこで私たちはまず、形のない議論を絵や図で見えるようにすることから始めます。参加者全員が連鎖する価値全体を捉えられる俯瞰の地図をつくるためです。#1のように、模造紙1枚では足りないので、机を何脚も並べてロール紙を広げます。大きな紙を前にすることで、それまで見えていた小さな視野から解き放たれて、飛躍したビジネス戦略や構想を生み出す足場が整います。

事業機会を探索するイラストカード

データを見ているだけでは気づきにくいことも、手を動かし指を差しながら身体的に情報を整理すると、さまざまな発見が得られます。#1では、バリューチェーンを構成する農業、漁業、加工業、卸業といった産業と関係者のイラストカードを用いて議論しています。カードを配置しながら関係性を可視化し、それぞれの取引や作業中に起こる問題や協働における認識のズレを特定します。そうすることで、逆境にこそ新たなビジネスのヒントがあることを参加者自らが探索できる状況をつくりました。議論が進むにつれて、参加している一人ひとりが自社の取り組むべき課題を発見し、熱を持って次の事業の可能性を見出していく。そんなシーンに出会うたびに、何にも代えがたい喜びを感じます。

複雑なサプライチェーンを俯瞰し課題を発見

物流を担う大型車の活路を開拓するため、バリューチェーン全体をマップで捉えつつ事業アイデアやマネタイズのプランを検討。複雑なロジスティクス分野の全体像を捉えビジネスモデルの精緻化を行った

自動車メーカー事業構想ワークショップ

📅 2019年10月　📍自動車メーカーのオフィス
👥 関連する複数の事業部長、事業開発部、マーケティング部、コンサルタント、計20人名（1テーブル）
🗂 ロール紙、業種業態のビジュアルカード、お金玩具、付箋、ラインテープ、カラーペン［プロッキー］

※実際の事例を一部再現

ビジネスに必要な要件

ビジネスの障害

市場機会

ステークホルダー

・手で動かし指差せる場づくり
参加者が自ら考え、発見する過程に必要なのが「手で動かせる／指差せる」こと。カードやお札などを用いて、手を動かすことで思考や議論を深め、ビジネスプランを精緻化していった

・ロール紙を使って全体像を描く
参加者がバリューチェーンの全体像を捉えられるよう、ロール紙で視覚化

・線でつなげば実態が見える
自動車による物流フローなどを線でつなぎながら議論。すると、ビジネスの障害・現場の要件・連携方法なども視覚化され、具体の対策が出やすくなる

Tips

畜産家

ビジュアルカードを使う
バリューチェーンに関わる多様なステークホルダーすべてを捉えるために、事前にビジュアルカードを作成！

おもちゃのお札も大活躍
市場機会の大小を、参加者が動かしながら議論！

それまでは目も向けていなかった市場に、新しいビジネスチャンスを発見され、中長期戦略にむけた構想が飛躍していきました。日本の物流が変わっていく瞬間に立ち会えたと感じました。

「協創の役割」を描き分ける

事業が持続可能な状態かを考えるうえで役立つのが、多様な立場の人が互いに良い影響を与え合うしくみを可視化する「関係図づくり」です。事業構想では、目的の異なる多様なステークホルダー間でwin-winの関係性を築くためのビジョンが欠かせません。#1では、顧客、サービス提供者はもちろん、地域の住人や子どもたちといった多様なステークホルダーをあぶり出しました。こうした関係図を描くためのビジュアル・ファシリテーションでは、常に「議論の主語」を意識することが大切です。主語が明確になることで、問題の構造や要因をより主体的に捉えることができ、だれとだれがどのように協業することで解決できる問題なのか、焦点を絞った議論が可能になります。また、こうした協創のビジョンづくりは、#2のように、プロジェクトの構想を関係者に共有し、活動意義を理解してもらうような現場でも、活用されています。

#2 地域×学校と協働プロジェクトを構想

落合第六小学校「おえかきシンキング」授業構想会議

📅 2018年6月　📍 新宿区立落合第六小学校
👥 小学校教員、地域協働学校関係者（教育機関関係者、保護者）合計15人
🖊 A3用紙、カラーペン［プロッキー／ゲルクレヨン］

小学生の「不確実な未来を進む力」を育む授業を構想するため、学校・保護者・地域・企業などさまざまなステークホルダーを巻き込み議論。「視覚化」を用いた新たな総合学習授業などを創出

✏ 子どものワクワクを1枚に

生徒の今、授業の内容と意味、未来を1枚のストーリーに。ワクワクする世界を1枚で表現し、子どもたちにも興味をもってもらう

右上から左下に向けて時間が進んでいく構造。高台に立ちすくむ子どもがステップを踏みながら川を下り、大海原に飛び出していく流れを描いている

Tips

❶ 課題を目立たせ導入にする
現状の課題意識を困っている人で描き、共感をつかむ

❷ 関係者を絵に登場させる
実践者だけでなく関係者を登場させ、「共に生徒を育む」関わり方を示す

「生徒たちの今の状況」「授業の内容と意味」「歩んだ先の未来」のストーリーを1枚の絵に！ 地域や学校の方と事業全体の意味を共有し創り出すことができました！

参加者の想像力を絵でサポート

構想した事業に血を通わせるために、多くの関係者に感情移入をしてもらい当事者意識を芽生えさせることも、絵を用いることの目的の1つです。例えば#3のような遠隔のオンライン会議でも、既存のサービスに不自由さを抱えている人の困った顔や、未来の新しいサービスを受けた人の嬉しい顔を絵にするだけで、参加者の発想力は高まり、議論も具体化します。「ここで困っている人を助けたい」「こんな世界をつくれるなら仲間を集めなくては」という具合に、提案や課題が表出しやすくなり、結果的に議論のスピードもアップします。シチュエーションやストーリーをイメージして描くことで、参加者の感性をより刺激します。事業構想とは、現状を正確に把握する力だけでなく、未来を想像する力とセットで初めて可能となるのです。

#3 オンラインで協創する新事業の戦略

教材のオンライン販売サービスを構想するチームミーティング

- 📅 2020年10月　📍 オンライン
- 🧑‍🤝‍🧑 プロジェクトメンバー（プロジェクト・マネージャー、サービスデザイナー、CXデザイナー、グラフィックデザイナー、営業担当）合計5人（5拠点）
- 🖊 オンライン会議用ホワイトボード［Miro］、iPad ＋ Apple pencil、PC

サービス企画戦略のオンライン会議。オンライン会議用ホワイトボードMiroを活用した。サービスの提供価値とターゲット顧客を明確にし、サービスをどう体験してもらうかを議論した

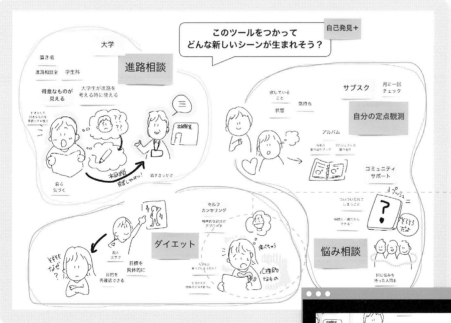

サービス体験をシーンとして描き出していくことで、チーム全員が顧客の視点に立って考えていくことができました。オンライン会議でも、認識を合わせていくことができたので、その後のデザインにも効果的でした。

✏ **シチュエーションを絵に**
具体的なシーンを絵にすることで新しい体験を発想しやすくできる。

Tips

発言が共有される安心感が発想を促進
話しているその場で描くと、遠隔でも安心して議論を前進させられる

Recorded by

長年勤務していた企業では、顧客とのミーティングからプロジェクト会議、幹部会議や役員向けのワークショップまでさまざまな話し合いの場で可視化を実践してきました。現在は独立して、ファシリテーター兼コンサルタントとして、企業や団体へのサービスとして可視化を提供しています。

Resonant Sign 代表

酒井麻里

グラレコ歴／頻度

10年強／1カ月に1回〜毎日

どんな立場で描いている?

前職ではファシリテーターとグラフィッカーを兼任しつつミーティングやワークショップをデザイン。現在も基本的には両方の役割を担いつつ、外部コンサルタントとしてクライアントをサポート

2つのモードで紡ぐ、響く事業戦略づくり

わかりにくいことを可視化する

描き始めたのは数十年前のシステム・エンジニア時代。クライアントに「君の話は難しい」と言われたことがきっかけです。顧客の話や自分が説明したことをホワイトボードに描き、それらを表にまとめたり関係を表す図、ビジネスフレームワークに整理していくと、打ち合わせがスムーズに進みました。以来、複雑な業務プロセスの整理やプロジェクトの振り返り、事業戦略の策定まで、さまざまな場面でグラフィックを描いています。とにかく話された言葉をそのまま拾い続ける。鏡のように話し手の言葉をなるべくそのまま描き、自分の先入観で脚色したり先回りしたりしないよう気をつけています。地道なスタイルですが、さまざまな場でホワイトボードの前に立ち続け、わかりにくかったことを可視化する効果を日々実感しています。

寄り添うかガイドするか、モードを選ぶ

ファシリテーターとして、無数のホワイトボードや模造紙に可視化してきたなかで、描くモードが2つあることに気づきました。1つは話し合いをガイドするモード。もう1つは、話し合いに後ろからついていき、議論の出口が現れるまで寄り添うモードです。この2つのモードを行ったり来たりしながら"しっかり話せる場づくり"を重ねてきました。#1は、ガイドするモードのグラフィックです。企業のトップと営業、技術者の三者で、顧客との交渉が突然ストップした際に行った緊急ミーティングの記録です。このような場合、ともすれば互いの立場からの話に終始しがちですが、この時は、時系列にそれぞれがもつ情報をつなぎ合わせ、何が起きたのか仮説を立てて次の対策を話し合うことができました。グラフィックは、話し合いのゴールとプロセスを表すガイド役を担うことができます。

#1 想定外の問題を組織全体で検証するガイド

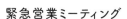

緊急営業ミーティング

📅 2018年5月　📍某企業支社長室
👥 支社長・担当営業・担当技術者／6人（1テーブル）
🖊 ホワイトボード、ホワイトボードマーカー（黒/赤/青色）

とある企業のトップセールス案件で、クライアントから一旦すべての商談を止めたいと突然の連絡があった。案件に関わった支社長・担当営業・担当エンジニアなど関係者から情報を集めて、何が起きたのか、どう動くべきかを組織全体で決定するためミーティングを開催

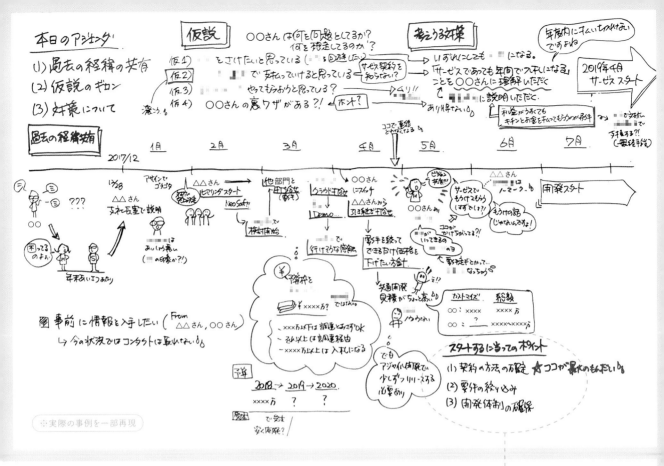

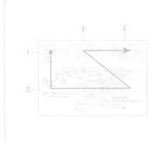

1 **進め方を提示**
ガイドするモードで描くときは、事前にプロセスを確認できるよう書き出しておく

2 **時系列にトップ、営業、技術者の持っている情報を描き出す**
経過の中で出てきた重要な数字も、時系列のフレームに配置して描くと、問題を流れの中で把握しやすい

3 **状況から今起きていることの仮説を複数リストアップ**

4 **仮説別の対策を検討**

🖋 **争点を明確に**

この商談の争点となる難しいポイントを強調して描く

Tips

一目で全体がわかるフレーム使い
全員の情報を見える化する大きなフレームをメインに置く。この場合は、時系列での営業活動の共有と状況の変化をすべて描けるよう、広いスペースをとった

イラストで状況や登場人物の気持ちを表す
イラストを添えると臨場感が出て、参加者にとって印象に残るグラフィックとなる。ファシリテートしながら、確認しつつイラストに表す

組織内に話し合いの場をひらく

#2と#3は幹部会議で事業戦略の方向性を検討し、経営計画を策定したときのグラフィックを再現したものです。7、8人が顔を突き合わせて話し合いました。幹部同士は意見が対立することも多く、気づまりな議論になりがちですが、ホワイトボードを眺めながらであれば意外と素直に思いを口にできます。企業経営は、しっかり話し合って物事を決定し実行していかなければなりません。しかし、立場や役割で組織内の思惑がすれ違い、信頼関係を築けていない状態だと、当事者意識をもって会議に臨むどころか肚を割って話すこともできない悪循環に陥ります。そんな状況の突破口となり、組織メンバーが話し合いに参画するきっかけとなるのがグラフィックです。可視化されることで参加者自身の意識も少しずつひらかれていき、結果的に話し合いも活性化するのです。

#2 響く事業戦略（1） 事業領域別の確認

| 臨時幹部会議 | 📅 2017年2〜3月 | 📍 某企業会議室 | 👥 支社長、事業部長、事業部長代理など8人 |

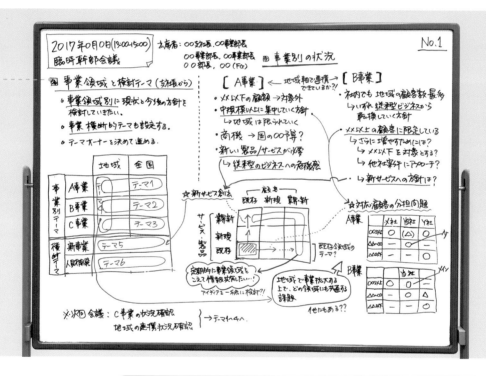

✏️ 事前打ち合わせで論点整理

トップの話は事前に可視化しながら聴いて、幹部会議で話す内容を整理しておく。メッセージが明確になる

Tips

繰り返しフレーム化する

方針検討の中でキーとなるフレームを何度も用いて描くことで共通理解が定着していく

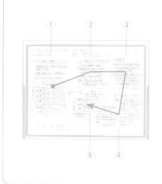

① トップから話の口火を切る

② A事業担当からの話 ⎫ このタイミングでは寄り添うモード。

③ B事業担当からの話 ⎭ 話したことをひたすら描く

④ 地域事業の分担に関する共通の話題を可視化
同一の構造があることを同じフレームで可視化

⑤ 事業拡大のためのフレームで、議論の対象領域を確認

戦略をつくるプロセスを重ねる

幹部会議メンバーで事業戦略を検討するため、8回の臨時幹部会議を重ねました（#2、3）。毎回最初は必ず、制約なく幹部の方それぞれに構想やアイデアをひたすら語ってもらい、描き出した言葉から何かが浮かび上がるのを待ちます。私はそうして出てきた事業戦略の方向性を、成長源泉マップ*1やフォースフィールド・アナリシス*2などの適切なフレー

ムワークに落とし込みます。グラフィックは時に後ろから寄り添い、時に少し前に出る。2つのモードを交互に行き来する伴走過程で幹部の意見が集約され、フレームワークとして成長していきます。するといつの間にか検討した戦略の意味や位置づけが全員の中にしっかりと根を張り、自分たちの戦略になるのです。グラフィックを足掛かりに新たな着想を得て、幹部同士の相互理解も深め、それぞれコミットできる響く戦略・経営計画をつくることができました。

*1 企業の成長源泉マップ：成長戦略を検討するためのフレームワーク。「市場・顧客」「商品・ビジネスモデル」を軸としたマトリクスで、新しさの度合いを尺度として軸を設定する（文1）

#3 響く事業戦略（2） 事業横断テーマの検討 ✎

🏷 ホワイトボード、ホワイトボードマーカー（黒/赤/青色）

> 2カ月間で8回の臨時幹部会議を開催 すべての話し合いでグラフィックを導入し、幹部間で段階的に戦略の方向性を合意し、経営計画に落とし込んだ

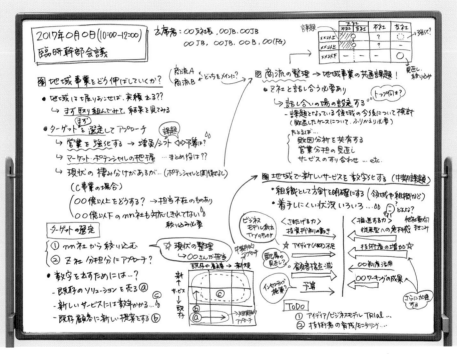

※実際の事例を一部再現

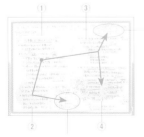

前回も使ったキーとなる事業拡大のフレームを繰り返し描いてマッピング（会議でたびたび出てくるので認識が浸透していく）

この事業でも、顧客分担の問題が出たので、ほかの事業と同じ表をつかって構造化

1 前回会議で出た問いから自由に話す
　寄り添いモードでひたすら描く

2 冒頭の問いから出てきたテーマを掘り下げる

3 同様に冒頭の問いから出てきた別テーマを掘り下げる

4 話の流れで出てきた新サービス創出の推進に関係するさまざまな力を図解で見える化

Tips

適切なフレームワークを提供する

その都度、適切なフレームワークは変わる。ここではフォースフィールドアナリシス*2を使用した

*2 フォースフィールド・アナリシス：実行しようとする活動に働く「推進力」と「抵抗力」を可視化するフレームワーク。力の大きさを矢印の長さや太さで表す

57

一対一で2時間、グラフィックを描きながらお話をすることで頭の整理をサポートする「可視カフェ」というサービスを行っています。

アラワス（個人事業主）

関美穂子

グラレコ歴／頻度

5年（2016年〜）／1カ月に5〜10回

どんな立場で描いている？

議論や対話を促す立場。イベントや会議では特に、ラフな仕上がりでもその場で要点を漏らさず描く、それをもとに一緒に話を進めることを大切にしている

会話で思考を引き出し、整える「可視カフェ」

雑談から始めて初対面の遠慮を取り除く

一対一でお話しながら目の前でグラフィックを描き、モヤモヤしている思考の整理を対話でサポートする「可視カフェ」を行っています。忙しい毎日で後回しになりがちな"形にならない思考や想い"を見える化させる際に気をつけているのは、思考を先回りしすぎないこと。グラフィックには、相手に「なんかちょっと違うんだけど、絵に描かれたらそう思えてきたかも…？」と違和感を押し込ませたり、話の主導権を奪ってしまったりする危険性も。そこで本番の前に必ず15分程度、雑談を行います。その日の天気やお互いの出身地といったなにげないことを話し、友人とカフェで話すような、率直な思いを口にしやすいリラックスした関係性に近づけます。ほかにもそれぞれの自己紹介から始めることや、呼ばれたい名前で呼ぶこと、一部の人しかわからない専門用語や略語は避けることも大切です。

大きな流れを捉え、思考の整理と発想を促す

可視カフェのグラフィックはノートをとる時のように上から下、左から右に描くことはあまりせず、紙全体を面で捉えて使います。話題同士のつながりや、過去から未来への時間軸、話の階層関係などを整理しつつ、話の順序ではなく"話された内容の構造"を俯瞰するための視覚化です。思考の中に複数の軸が存在することもありますが、相手がより大切にしているのはどれかを見極めて、優先して描き表していきます。

【大きな流れを捉えて描くヒント】

◆ グラフィック・レコーディングや図解など、構図パターンの引き出しを増やす
◆ 話を聞きながらリアルタイムで適切なパターンをその都度選択していく
◆ 話題ごとに小見出しをつけ、線で囲んだり薄い色で塗ったりする
◆ 話題同士の関係性を矢印や接続詞で明らかにする・後から全体を俯瞰しやすいよう、なるべく1枚にまとめる（デジタル）

#1 これまでを振り返り、次の一歩を確かにする

地域おこし協力隊として、移住して活動を行ってきたYさん。卒業に向けた準備をするために、3年間で自分が何をしてきたのか、自分にとって何の意味があったのかを振り返りを行った

Yさま可視カフェ　📅2020年9月　📍オンライン　👥Yさん
📱iPad + Apple pencil、ノートPC、オンライン会議アプリ［Zoom］

🖊 いちばん目立つ「結論」
最終的に腹落ちした感想が出てきたので、いちばん目立つように、黄色背景、赤文字で残した

❶ これからの自分に向けて重要な気づきが出てきたので、囲んで目立つように描いた

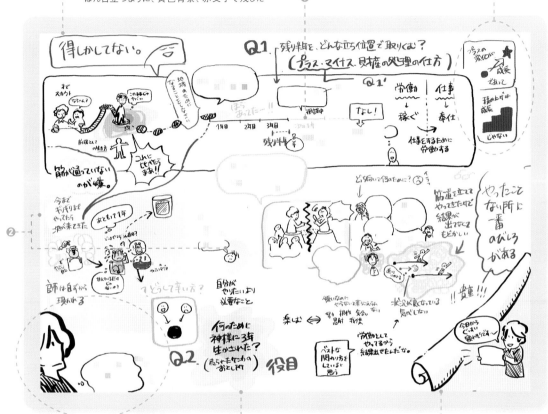

可視カフェを俯瞰しての感想は、本人を太めで描いて他と区別

🖊 モヤモヤを一目で
モヤモヤしてる気持ちが一目でわかるよう灰色でぐにゃぐにゃに囲む

🖊 終わってからの感想も入れ込む
舞台裏のような感じで紙をめくった感じで描いた

❶ 描き始め…これまでの振り返り
❷ ポイントの深堀り
❸ 最終的な感想

Tips

❶ 一本線が時間になる
時系列で整理する話は一本線でまとめる

❷ 話の内容ごとに背景色で分ける
深堀りの視点が2つあったので背景の色変える

順番よりも内容でわける
話をした順番ではなく、話の内容ごとにエリア分けして描く

イラストが言葉探しの呼び水になる

「ええっと、なんて言ったらいいかな…」自分の考えをぴったり表す言葉を探す時間は、可視カフェで一番頭をしぼる踏ん張りどころ。イラストや図といった視覚的な表現は、そんな場面で思考の呼び水となり、相手の言葉を引き出してくれます。提案はしても断定はせず、あくまで言葉の引き出し役となることで、話し手が「思考の整理はサポートしてもらったけれど、自分で結論を出せた」と感じられる場をつくります。

#2 キャリアを棚卸しして「自分の軸」を探す

お子さんが1歳になり就職活動を始めるTさん。そのために自分のキャリアの軸や、大切にしていること、強みを整理してはっきりさせるために振り返りを行った

Tさま可視カフェ　📅 2020年8月　📍オンライン　👥 Tさん
🔲 iPad + Apple pencil、ノートPC、オンライン会議アプリ[Zoom]

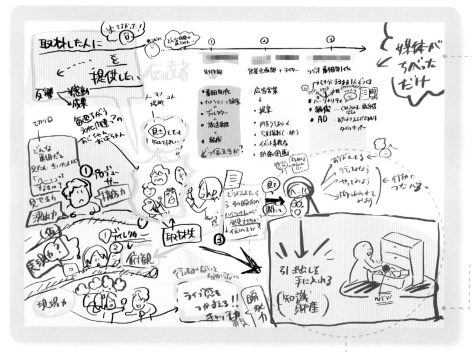

大事なポイントは太く赤文字で目立たせる

Tips

順番より内容でグルーピング

話をした順番ではなく、話の内容ごとにエリア分けして描くのも一手

あとから振り返りやすい色使い

ポイントに共通して、ピンクの薄い背景を敷いている

---

1 これまでの振り返り

🖊 1本線が時間軸

時系列で整理する話はすっきりと1本線でまとめる

2 大切にしていること深堀り

🖊 同じ話は同じ色で囲む

「ヘー！」ってなってほしい、の内容を分解

3 やっていること整理

取り組んでいる3つの仕事の種類が一目でわかるよう色分け

プロセスを残すことで振り返りや脱線が可能に

可視カフェは基本的にひとりで4役（監督役／ファシリテーター／聞く役／描く役）をこなし場をつくっています。「ちょっと脱線してもいいですか？」と訊かれた時は、その脱線が実はキーポイントかもしれません。監督役として発散する会話の行方を見守りつつ、聞く役としてその真意を探ります。ファシリテーターとしては、描く役が話題をすべて描きとめておけば、話が飛んでもいつでも戻ってこられるので安心です。

また脱線も含めた思考の記録は、可視カフェの途中だけでなく何カ月か経ったあとにどうしてこの結論に至ったかを振り返り、新たな発想が生まれる手掛かりにもなります。

そのなかでも、できるだけ「聞く」に集中しながら話題をなるべくすべて描きとめるため、言語化の瞬間など表現を工夫しなければいけない時以外はシンプルな表現に徹します。

#3 挑戦したい想いを描きとめ、確かな目標に

Ｙさま可視カフェ　📅 2018年9月　📍オンライン　👥Ｙさん

📱 iPad + Apple pencil、ノートPC、オンライン会議アプリ[Zoom]

長年の夢だった開業に向けて動いているＹさん。そこで、なぜ自分がそれをやりたいと思っているのかを周りに伝えるために整理したいというご依頼。既にご自身で「こうなりたい」という言葉はあったので、その言葉を分解したり、背景の紐解きを行ったりして思考を深めた

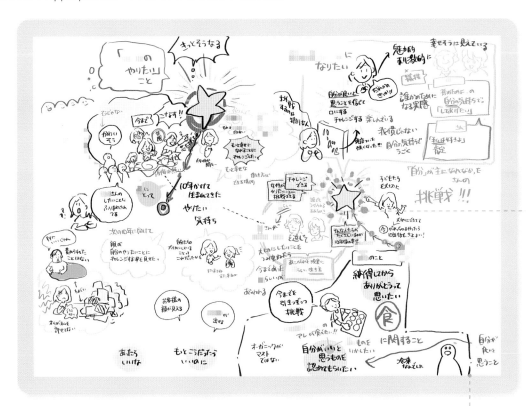

Tips

線種で話題転換を可視化
違う種類の話題は囲みの種類を変える

流れをつなぐ
吹き出し型で囲んだり、矢印でつなぐことで描いた内容の関係性や話の流れを後から見やすくする

象徴アイコンの効果
目標には星のアイコンを使っている。目指すビジョンにパッと目がいく

1 これまで
2 これからしたいこと
3 目標

Recorded by

NPO法人の理事・スタッフです。「対話の場づくり」を軸に、自主的・主体的な人が増えることを目指して、協働の推進、中山間地域づくり支援などの活動をしています。

特定非営利活動法人市民プロデュース

小柳明子

グラレコ歴／頻度

6年2カ月／2カ月に1回

どんな立場で描いている?

主にグラフィック・レコーダーやファシリテーターとして

自分ごとマインドが育む住民自治の土壌

一人ひとりの手応えが継続的な取り組みを生む

グラフィックはその場の成果を可視化するだけでなく、その後も継続的に成果を共有しやすいツールです。「私が参加することには意味があるし、私の発言には価値があるんだ」という実感を住民自身がもち続け、一人ひとりの手応えを次の一歩へつなぐことが大切です。#1は、新しくできるコミュニティセンターの活用方法を地域住民のみなさんが話し合った記録です。この模造紙は竣工後もセンターのロビーに掲示され、成果を深め、広げる役割を果たしてくれています。地域づくりは「私たちの幸せな暮らしを支える営み」ですから、暮らす人がいる限り続くゴールのない取り組みです。日々猛烈なスピードで変化し続ける社会や環境に対応しながらも、「考え・変化し・行動し続ける」土壌を育むことが重要であり、その土壌づくりのプロセスを支えるために欠かせないのが対話の場だと思っています。

「私らしい貢献」の集合が、場の質を高める

私は、グラフィックに限らず各々が得意技やアイデアを持ち寄って貢献すれば、豊かで質の高い場になると考えています。例えば記録用の写真を撮ることや配布物にデザインすることが得意な人、美味しいコーヒーを淹れる、会場に草花を飾る、過去の資料を整理しいつでも引き出せるようにしておく……貢献の仕方は無限大です。対話の場づくりも地域づくりも、大切なのは手段ではなく目的であり、プロセスの中にその人らしい"出番"があることです。プロセス全体の質を高め、成果に最大限貢献できる手法としてグラフィックは適切か。自分らしく活用し身につけられるツールなのか。それらを見極めるためにも、まずは手を動かしてみることが一番の近道かもしれません。

主体的な思いを引き出しアクションへつなぐ

室積コミュニティセンター活用ワークショップ

📅 2015年10月21日　📍 室積公民館大ホール
👥 光市室積地域の住民／約30人　🖊 模造紙、カラーペン［プロッキー］

施設の老朽化に伴い、公民館（社会教育施設）を、地域の交流・活動拠点であるコミュニティセンターへと建て替えること。地域住民の主体的な利活用を促すため、活用方法について考える住民ワークショップを開催

---

① 前回のふりかえり／② グループワーク

✏ 過去と現在の色分け

以前のワークで出たアイデアは青、この日のワークで出たアイデアは赤で色分け

→

③ 私の活用宣言

✏ 量を描ききる

参加者の宣言は、できる限り描き取る。この日の成果として右上に

Tips

活用している「場面」がイメージできるように描く

グループワークを邪魔しないワーク中は、集中している参加者から見えない位置で模造紙を描く

💧 反省点

• 前回の成果と今回の成果が入り混じったかたちで描けると良かった
• 宣言の文字が小さくなってしまった

#2 プロジェクトへの多様な関わりを促す

あなたの夢をみんなで実現
まちだ○ごと大作戦18‑20「まちだ好きの集い」

📅 2017年7月22日、8月6日　📍町田市役所会議室　👥 町田市民／約80人　🖊 模造紙、カラーペン[プロッキー]

2018年の市制60周年、ラグビーワールドカップ
2019、東京五輪2020へと続く3カ年を「未来を見
据えた3年」と位置づけ、2018年1月〜2020年
12月まで市民が提案するアイデアを実現するプロジェ
クトの説明会。多様な主体がプロジェクト趣旨を理
解し、自主的に活動し、つながることを目指す

プロジェクト始動までの流れ

市役所内でプロジェクト骨子検討
↓
「まちだ好きの集い」開催

> つどいの成果が可視化され記録
> として残ることで、プロジェクトの
> 土台づくりに役立った

- たくさんの市民が参加
  → 市にとって自信・手応えに
- 市と市民が一体となったビジョン構築へ
  → プロジェクトの土台となる

↓
地域協議会への説明キャラバン

地域の協力体制・意識合わせを進めつつ…
↓
プロジェクト始動

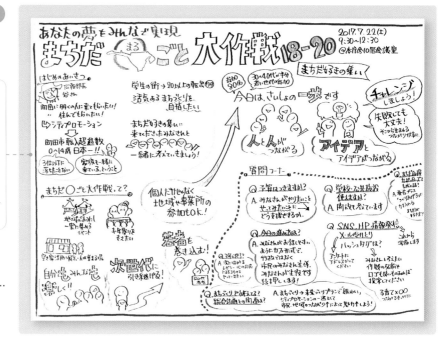

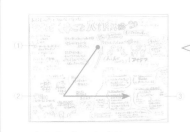

🖊 内容ごとに色分け

① 主催挨拶／② 事業の趣旨説明／
③ 趣旨説明に対する質疑応答

2日間、①〜④の同一プログラムを実施
市民は都合のよい日に参加

「前向きな気持ち」を可視化

事業のねらい、趣旨は、主
催の思いを反映してポジティ
ブなイメージを表現する

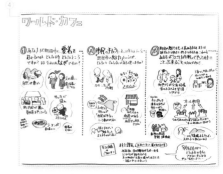

④ ワールド・カフェ

Tips

前の日の準備
事業のロゴを事前に調べておく

全部描くことが大事
質疑応答の内容は、主催が答えづらい質問も含め描き残す

大きく見やすく
大切な言葉は、大きく、届きやすい色で書く

🍶 **反省点**

ワールド・カフェ中、テーブルをまわり聞こえた声を
描いたが、集中して話す場の妨げとなった可能性
もゼロではない。グラフィッカーのふるまいは未だに
迷うところ

"地域"って、いったいだれのこと?

「地域が主体となって」「地域の声を集めて」……中山間地域づくりの現場で多用されるこれらの言葉を聞くたびに、地域って、いったいだれのことを指しているんだろう? と問いかけたくなります。いつだれが主体的に動くことを想定していて、だれのどんな声を集めようとしているのか。無意識のうちに、限られた代表者の意見になっていないか。自分たちには聞こえてこない住民一人ひとりの声があることを認識できているのか。そんな問いを場で共有するためにグラフィックは大きな役割を果たすと考えています。偉い先生や専門家が答えを示してくれるのを待つのではなく、#2・3のように、声なき声や思いを可視化し、自分たちで考え、話し合い、決めて、動く。そうした営みを積み重ね続けてはじめて、地域のありたい姿を形にする力が生まれます。

成果の見える化は"自分ごと"への第一歩

地域への思い・考えを共有する機会は、実は多くありません。強固なコミュニティの中では自分の意見を表明することが憚られがちで、地域で出番が少ない女性や若者はなおさらです。#3では小学生のお母さん方を中心メンバーに迎えました。最初は地域計画という大きなテーマに戸惑う方が多かったものの、回を重ねるうち積極的にアイデアを出してくれるようになりました。描き残すことは、話し合いの成果を明確にして次の一歩を引き出す手段です。"私の声"が見える地域計画なら「みんなの成果=私の成果」となり、プロセスに関わった一人ひとりの"自分ごと"につながります。絵を交えた手描きのグラフィックは、ややもすれば「言質を取る」といった印象を与えかねない味気のない議事録より、場に受け入れてもらいやすく、ゆるやかに参画の機会を生めるのです。

#3 地域のありたい姿を形にするサポート

夢プラン(地域計画)策定のための住民ワークショップ。地域がどうありたいか、ありたい姿であるために何をすべきかを、住民自らが話し合い、考え、決める。プロセスを通して地域のつながりづくり、次世代の担い手づくりを目指す

| 柳北夢プラン策定委員会 | 2019年8月26日

📍柳井市立柳北小学校コミュニティルーム 👥柳井市柳北地区の住民有志／約20人 🖊模造紙、カラーペン[プロッキー]

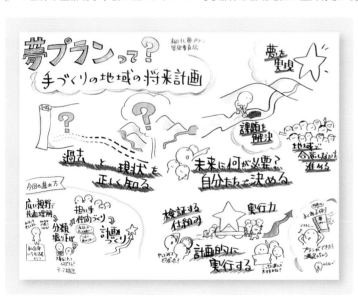

幅広い世代の住民が集い、地域のありたい姿について意見を交わしている様子

対話を支える大切な情報は、参加者の目にとまりやすい位置に掲示

Tips

プロセス自体を可視化するレイアウト
計画はつくって終わりではない、プロセスが大切であることをレイアウト全体で伝える

議論の狙いは色使いにも
ポジティブな印象を持ってもらえるよう、全体として暖色を中心に使う

💧 反省点
参加者自身が書き加えたり、付箋を貼ったりする機会をつくれればよかった

Recorded by

今はないけど「あったらいいな」と願うものを形にしていく共創のプロセスデザインやホストをしています。学問と生活を結ぶ感性コミュニケーションと、里山地域（福岡県上毛町）のフィールドワーク、アート・オブ・ホスティングの実践を続けています。

かけはしあっちこっち研究所／一般社団法人サステナビリティ・ダイアログ
グロス梯愛依子

グラレコ歴／頻度

約7年／1カ月に2〜10回

どんな立場で描いている？

1. **生活者として**…大事と思った時に、大事と思ったところで、勝手に描く
2. **ハーベスターとして**…一人ひとりの声や知恵が、意味のある形で力を持つべきところを自分で見つけて。あるいは声をかけてもらって

ご近所さんと暮らしを語らい、手を取りあう

まちの未来を紡ぐのはいつも生活者の話

気取らない日々の暮らしの中に、私たち一人ひとりの思いや願いは潜んでおり、ふとした時に大切な話が始まることがあります。記録に残らない日常の小さなモヤモヤは、話された瞬間は不平不満に聞こえがちですが、ゆっくりと互いに聞き合う間があれば、その奥にある大切にしたい思いや願いが表れ出てくることがあります。例えば、人口減少の現状に対して人口増が叫ばれるなか「人口って増えないといけないの？」とそもそも論が始まったり、"安心安全、幸せな生活"という聞こえの良い抽象的な標語に「それって私たちにとっては一体どんな形かな？」と具体的な暮らしのシーンが交わされたりする時、だれに頼まれるでもなく私はペンを走らせます。学者や先駆的な登壇者が説く講話でも役人や外部コンサルタントがつくる計画でもなく、実際に日々暮らしている生活者の声こそが実現される力と価値をもつと思うからです。そうした等身大の声が聞かれる瞬間に立ち会うと、グラフィックを活用して見える形に描きとめます。

囲む食卓の窓が白板になり、やがて風景に

私たち生活者の本音は商店街や居酒屋といった暮らしが息づく「いつもの場」で、明日には忘れられるような日常の一場面にこそ現れます。可視化はそうしたリアルな声や初めて言葉にされた思いを共に認識するのにおおいに役立ちます。#1のように、みんなで囲むおいしいすき焼きを招待状代わりに、窓に貼られたホワイトボードシートを使えば、会議室でなくとも描くことができます。シートは会場となったコミュニティカフェに、数カ月に亘って掲示し続けられていました。話された事実と内容が残り「若い人たちがこんなことを思っている」と会話が弾み、それを酒の肴に地域のおじちゃんたちの飲み会が催されます。いつしか窓の風景と化した会議録は、そこに山があるのが当然のように、若者の存在や願いが確かにあるということを物語っているようでした。日常のワンシーンに「あの時、みんなでこんな話をした」と思い出せるアイテムがあることが、力を与えてくれます。

#1 次々と湧き出る問いをランチの窓に留め置く

KOGE わけーもんすきやき会議

 2016年5月14日　📍こうげの食卓もくもく（福岡県築上郡上毛町）

👥 上毛町に住んでいるまたは上毛町が好きで通っている
主に20代〜30代の若者11人（町出身者・Iターン者混合）

🖊 窓に貼るタイプのホワイトボードシート、ホワイトボードマーカー

ランチにすき焼きを囲みながら、みんなで「これからの暮らし、町の未来をワイワイ語り合おう」という会。税金の使われ方や将来にわたる公共施設の負債などについて町政に対するモヤモヤをそれぞれの不平不満で終わらせるのではなく、自分たちは何を望んでいるのか、どんなふうだったら良いのかに一緒に考えを巡らせるために、一度みんなで話せたらいいねということで集うことに

話を進めていく途中で出てきた問いは大事。
必要な話が展開される

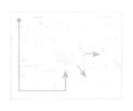

↓

✐ でっかく、くっきり！
すき焼きを食べながらでも見えるくらい大きく描く

♨ 反 省 点
5色のマーカーのカラーコード（色分け）をは
じめにはっきりと決めていなかった

Tips

枚数を決めない
模造紙の残りのスペースが窮屈になったら、
改めてのびのびかけるスペースに移る！

最低限の道具を用意してスタンバイ
大事な話が始まった時にいつでも描ける
態勢で

良い話がなされるところに出かける！
話をする場所は必ずしも
会議室でなくて良い

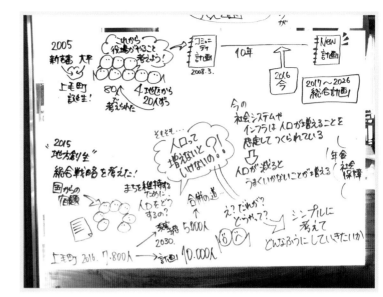

有事に駆けつけ共に進む互助への道

有事の際もグラフィックは、生活者の声を聞き、現場から解決策が生み出される過程に貢献します。私の故郷が豪雨で被災した時のこと（#2）。子育て中の母親たちを訪れる専門家の支援チームに同行しました。被災直後は泥出しや片づけなど物理的な作業に追われ、子どもが過ごす場所や子育て世帯へのサポートなどはまだ行き届かず、何が必要とされているかも定かでない時期でした。とにかく駆けつけて

話を聞く。心の動きや生活の実態に耳を傾け、聞こえた声をみんなが囲む模造紙に描き残します。課題が浮かび上がってきた座卓はいつしか解決にむけた協議の場に変わり、さらに話を聞かせてくれた方と一緒にその足で小学校長を訪ねることに。子どもたちが夏休みに過ごす場所を連携して整備する見通しが立っていきました。地元の人々と支援チームの対話を通して、現場のニーズとリソースがたちまち明確になり、力が合わさることで渦中から次の一手が生み出され動き始めるパワフルな過程に立ち会いました。

#2 被災した生活者と共に次の一手を見出す

平成29年九州北部豪雨後の被災地における
子育て世代の支援ニーズのヒアリング

📅 2017年7月17日
📍 東峰村役場小石原庁舎 和室（福岡県朝倉郡東峰村）
👥 村内で子育て中の母親4人、ヒアリングチーム3人（以前より子育て支援事業で村を訪れていた臨床心理士と保育士 ＋ 私）
🖊 模造紙、カラーペン［プロッキー］

九州北部豪雨の被災地となった一地域で、子育て中の世帯に必要な支援は何か、そのための体制をどう組めるかということを考えるためのヒアリング。復興作業が忙しく張り詰めたなか、時間をつくって来てくださるお母さん方をお茶とおやつを用意してお迎えした。夏休みを目前に、いつもの場所、いつもの過ごし方が叶わない環境で、子どもたちの過ごす場所の必要性が焦点となっていった

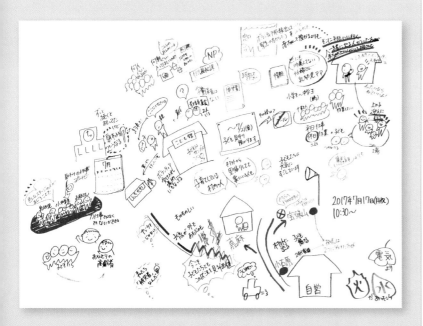

① 自分の手元に近いところから書き始める…座卓を囲んだお話を邪魔しないように

↓

② 被災当日の状況、心の動きなど、当事者から語られることをじっくり聴く

🖊 「いまここ」で聞かれる話に集中

一問一答形式ではなく共に進む会話から、外部ヒアリングチームの認識が及ばない細かな状況まで語られていった

↓

③ 現状を聞き、共通認識をつくる…自由に話されることが、みんなの輪の中に残っていく

🖊 わからないことはわからないままでいい

整理されないまま話されることを無理やり整理しない。皆がそれを使って整理し始めたり、疑問点を確認したり、お互いの認識を明確にしながら共有していく助けになった

↓

④ 今必要とされていることと次の一手を共に探る

💧 反省点　「自分の動きで話を邪魔しない」ことを最優先したので時間軸が見づらく、その場にいなかった人には共有しにくい

知と地域をつなぎ、みんなで未来の手綱を握る

社会をより良くする手掛かりとなる学術的な研究や理論は、既に世の中にさまざまあります。ある時、地域経済を「なんとかしたい」と考える商工会の集まりからリクエストを受け、地域の事業者のみなさんに漏れバケツ理論*を紹介しました（#3）。より多くの人とこの理論を共有できれば地域一丸となって取り組んでいけそうだと機運が高まり、当初10人ほどだった委員の輪は、30人近くに広がりました。学術的な理論は「小難しい話」に聞こえがちですが、活字を飛び出しグラフィックを用いたパネルシアター形式でその本質を紹介するなど、工夫することで私たちの暮らしに橋を架けられると実感します。共通理解によってそれぞれの話が「私たちの話」となり、「なんとかしよう」という現場の原動力に基盤ができます。足場を固めて共に進む。「さあ、どうしていこうか」と共創の道筋が照らされ始めています。

* 漏れバケツ理論：New Economics Foundation が提唱する地域経済の域内循環を考えるための理論

#3 共通理解からつかむ協働への手ごたえ

第1回こうげ未来事業者交流会
～ We Love KOGE こうげの未来を上毛で創る～

📅 2020年2月9日　📍上毛町役場太平支所 会議室
👥 商工会会員、町内事業者、テーマに関心がある町民20数人
🖊 模造紙、カラーペン［Neuland］

絵×数字で伝える
感覚的なグラフィックと論理的な計算式を効果的に併用

壁ではなく床を使うのも1つの選択肢
輪になってお話する皆さんの中に出していくことができる

地域経済について地域の事業者で改めて考え、これからの持続可能なあり方をみんなで模索し協働していこうとする商工会の事業者交流会企画事業。この1回目がひらかれるまでに地域事業者の有志によって計14回の実行委員会が重ねられてきた。地域経済についてRethinkするためにまず漏れバケツ理論を共有し、みんなで学び始めようとこの会が計画され呼びかけられた

① 土台となる模造紙を囲んでスタート
↓
② メインテーマを紹介

🖊 パネルシアター形式でわかりやすく

理論を構成するパーツをグラフィックでパネルシアター風に細かく用意し、ストーリー仕立てで紹介

③ みなさんのお話…字が大きいと参加者にも優しい

🖊 細かく描く時間がなくても諦めない
何か少しでも残っていれば思い出す手がかりになる。0じゃないことで次につながる可能性を残す！
↓

④ 今ここでこの話をする理由・意図の共有

💧 反省点
進行しながら描いたり貼ったり、ほぼ一人でやってしまい細かな配慮が行き届かなかった。チームを組めたらよかった

Recorded by

徳島大学でファシリテーターをしています。新規事業のビジョン作成や対話の場づくり、関連する事業の会議や打ち合わせでもグラフィック・レコーディングやビジュアル・ファシリテーションをしています。大学とは別に、市民協働の防災事業などにも関わっています。

徳島大学 ファシリテーター

玉有朋子

グラレコ歴／頻度

8年（2013年〜）／ほぼ毎日

どんな立場で描いている？

ファシリテーターやグラフィックレコーダーとして、ビジョン作成や産学連携などのワークショップ、会議から日常の軽い打ち合わせなど様々な場で描いている

一人ひとりの思いを 地域の前進力に

理解を助けて対話の土台をつくる可視化

とある住民講座で「地域特産の発酵晩茶と西洋医学の薬を併用すると、ある症状に高い効能がある」という薬学講義を図解しました。振り返りの時間に「メカニズムはこうでしょうか？」と私が質問すると、先生自らペンを取って大胆に修正します。「わからないのは俺だけじゃないんやなぁ」。住民の方からもツッコミが入り、一気に和やかになった会場には自然と質問が出始めました。リアルタイムの可視化は、参加者の不安や遠慮を緩和し理解を深める近道です。徳島大学の中山間地域活性化のための住民講座に参画した当初、課題に感じたのは、仕事上がりの参加者はどうしても集中力が切れやすいこと、質問が出ないことでした。複雑な講義をグラフィックに落とし込み、だれもが参加しやすい状況をつくりたいと見よう見まねで始めたのが可視化です。今では対話の場に欠かせない補助線として活用しています。

50人分の思いをビジョンにするプロセス

「高齢化を、すべての人が幸せになるチャンスに変える社会」。若者の雇用創出や地域産業振興、専門人材育成のための内閣府交付金事業への申請に向けて、"きらりと光る徳島"のビジョンをつくるフューチャーセッション*を2回開催しました（#1）。事業関係者50人が目指すべき未来について語り、そこで出てきたエッセンスを、後日5人のコアメンバーが行うビジョン会議で整理し、最終的な事業のビジョンへ収束させます。可視化とフィードバックを繰り返すことで、発散していたキーワードがどんどん有機的につながり、最終的に冒頭の定義に集約していく過程はとてもダイナミックでした。この絵（右頁右下図）は、今も事業関係者の目指すべき徳島像として事業を支えています。

＊ **フューチャーセッション** ： 複雑な課題を解決するため、企業・行政・NPO、組織内の部署、専門分野など立場の壁を越えて対話し協調アクションを生み出す場（文2）

#1 創造的超高齢社会のビジョンづくり

「地方大学・地域産業創生事業」を考えるフューチャーセッション
『徳島の「光」で創造的超高齢社会の将来を明るく照らす』

> 地方大学・地域産業創生交付対象事業に応募するためのビジョン作成と仲間づくりのためのフューチャーセッション〜コア会議

- 📅 ① 2018年4月（フューチャーセッション1）／② 2018年4〜5月（コアチーム会議）
- 📍 ① 徳島大学フューチャーセンターA.BA（アバ）／② 徳島大学本部
- 👥 ① 徳島大学教員・学生、地元企業、自治体職員、銀行員など50人
  ② 2018年度「次世代"光"創出・応用による産業振興・若者雇用創出計画」コアチーム副学長、学長企画室、教員など5人
- 🖊 A3用紙、付箋、水性マーカー、PC編集ソフト[Illustrator]

① **フューチャーセッション（1回目）**

✍ みんなが目指す方向を自分ごと化する

きらりと光る徳島になるために必要なこと（ビジョン）は何か？ 全員でグラレコを見せ合うグループ発表の後、ステークホルダーである参加者自身が「じゃあ自分は何をしたいか」を付箋で貼り出す

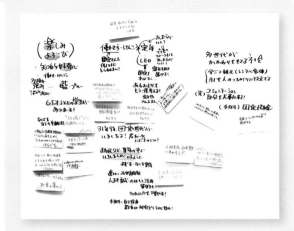

↓

フューチャーセッション（2回目）

1回目の案をさらにアイデアに落とし込む

1回目 ： 2018年4月6日(金)17：00〜20：00
2回目 ： 2018年4月19日(木)17：00〜20：00

---

② **コアチーム会議**

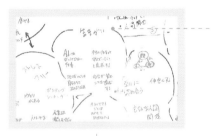

✍ まとまりに枠をつけ、矢印で関係性を表す
コアメンバーで後日エッセンスをKJ法で整理（リフレーミング）

Tips

見出しでグルーピング
グループには見出しをつけ、関係性をわかりやすく

↓

イメージをすり合わせるためのグラレコ　　　　　　　完成した事業ビジョンのイラスト

キーワードの関係性をコアメンバーの
前で可視化し対話しながらブラッシュ　→　最終的に絵に起こす
アップ

行動が自信になる地域の安全・安心づくり

理解するだけでなく「行動する」足掛かりとして有効なのが、参加者自身が考えて描き込む#2や#3のようなワークです。南海トラフ地震の発生が予想される徳島で、災害時に障害をもつ子どもたちが親とはぐれても無事に生き延びてほしい。知的障害をもつ子どものために設立されたNPO法人ほっ

とハウスには、こうした切実な願いがある反面「何をすればいいかわからない」という不安を抱えた親御さんたちが大勢いました。

そこで、防災・減災に関する十分なインプットをし、理想の避難所生活を話し合った後に、マンダラート*を使って、安心して避難するために必要なモノ、コトを可視化し、さらに時系列の表に落とし込むという作業を行いました。

#2 市民対話の土台をつくる

3年ほどファシリテーターをしている徳島市とほっとハウスの市民協働事業。知的障害者のための防災減災に係る取り組みの打ち合わせ（1枚目／2年目の振り返り、2枚目／知的障害者を知ってもらうパンフレット作成の打ち合わせ）

NPO法人ほっとハウス知的障害者の防災準備事業打ち合わせ

📅 2019年3月、2020年10月　📍 徳島市市民活力開発センター会議室
👥 NPO法人、徳島市市民協働課、危機管理課／6、7人
🖊 ホワイトボード、ホワイトボードマーカー（黒/赤/青）

Tips

❶ まず議題を示す
今日話したいことをチェックボックス付きで必ず書く

❷ タイムスケジュールを描く
時間配分も図化すると伝わりやすい！
※プログラムデザインマンダラを参考にしている（文3）

❸ 目がとまるアイコン
キーになるものはアイコンで！

❹ 認知度のピラミッド
「図解の型」をもっておく。あればあるほど参加者にもしっかり伝わる

❺ 目的探しは5W1Hで
災害時に知的障害者に必要な助けについて知ってもらいたいという思いからつくり始めたパンフレットの打ち合わせ。だれ向けの情報を載せるのか、方向性がバラバラだったので、ホワイトボードで図解して、何をどの層に伝えるべきか、今回は何をつくるかを明確に

❶
❷
❸ この年のアンケートがとても響いているので話題の中心だった

❺ このラインを見つけたのが決め手で何をつくるか決まった

ピラミッドを描いてから「パンフレットに載せたい情報」を聞きながら認知度に合わせて配置

❹

🗨 雑談にひそむ意見を聞き逃さない
- 市職員、ほっとハウス、ファシリテーターと、毎回全員で丁寧にチェックイン＆チェックアウト。時間はかかるものの良い関係をつくるには不可欠
- チェックイン（参加者全員が一言話す時間）はしっかり時間を取る
- いつもここでほっとハウスさんから大事な話や意見が出てきて、次につながることが多い

🗨 心得
- 配置を考えないで書き始めたので見づらくなってしまった…と悩まなくても大丈夫！見栄えは悪いけどみんなが納得しながら話し合いができればいいので気にしない！

#3のように、最終的には36項目あるほっとハウス独自の「やることリスト」が完成。防災リュックの中身やご近所との挨拶、自治体の防災訓練への積極的な参加などが掲げられました。半年後、「リスト全部やりました！」と笑顔で報告してくれたお母さんは、学ぶことや考えることが自信になったと言います。自分たちに必要なことの「見える化」がアクションにつながった一例です。

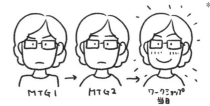

＊マンダラート：マス目を使用し、アイデア発散・整理をして思考を深めていく発想方法。1987年に今泉浩晃により考案された

参加してくれたお母さんの表情の変化が忘れられません

#3 自分ごとになる「自分で可視化」!

> 知的障害者が災害時に安心して避難するために何が必要かを考え、アクションにつなげるためのワークショップ

2018年度「楽しく学び、バッチリ備え、ストレス軽減！〜ほっとハウス防災フューチャーセッション〜」

📅 2019年6、8月　📍加茂名コミュニティセンター
👥 知的障害のある人、またはその家族／20組40人、市職員
📋 模造紙、マンダラートや表の枠をプリントした用紙、水性マーカー

1回目　6月27日(水)13：00〜16：00
話題提供「知的障害者と震災について」→ ワールド・カフェ → **マンダラート**

Tips

「マンダラート」を使う
発散型の議論を収束させたいときに効果的。マス目ごとにアイデアを整理して思考を深めることができる

ワールド・カフェ　「災害が起き、避難所に避難しました。穏やかに過ごすために必要なものはなんだと思いますか？」という問い

↓

マンダラート　そのために必要なことやアクションを考え、自分たちでマンダラートを使って可視化

2回目　8月1日(水)13：00〜16：00
話題提供「避難所生活について」→ 前回のマンダラートの振り返り
→ 時系列の表を埋める → みんなで見て優先順位シールを貼る

避難所生活をより良い状態にするために必要なことを、具体的に、いつ・誰がの軸を使って自分たちで整理

↓

やることリストが完成！
36項目全部やり切ったそうです

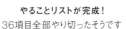

6グループ6枚の「穏やかに避難所で過ごすために必要なこと」一覧表。シールの優先順位は赤緑青の順

Recorded by

尼崎市役所 ファシリ部

5
行政改革

江上昇／桂山智哉／小濱賢二郎／柳幸佐代美

グラレコ歴／頻度

4〜7年／1、2カ月に1回程度

どんな立場で描いている?

市役所内の会議やワークショップの主催者が知り合いのとき。模造紙とプロッキーを持っていき壁に貼っておもむろに描き始め、会の最後にコメントをすることが多い

> 「ファシリテーションを市役所の中に広めたい」と思い、庁内の有志で2016年10月頃に「ファシリ部」を立ち上げました。

役所にファシリテーションを植え付ける!

市民から市長まで。みんなの対話

私たちファシリ部が初めて市役所内でグラフィックを披露したのは2017年の「全国都市改善改革実践事例発表会in尼崎」。業務時間や費用の節減につながる、前例のない活動など、尼崎市の各課が取り組む業務改善例を学び合う場で、市長をはじめとする職員が多く参加していました。壁に模造紙を貼りおもむろにグラフィックを描き始めると会場はざわついたものの、対話を促しみんなで同じ方向を向ける「論点の見える化」は好評(#1)。これをきっかけに庁内でグラフィックが認知されるようになり、会議の場でグラフィックの依頼を受けることも増えていきました。職員や市民向けに描き方講座も開催。今では、庁内会議の場はもちろん、市民と一緒に公共施設立替計画について考える会議の場などでも、グラフィックが活用されています。

理解を助けて振り返りにも役立てる

行政の議論の場において求められるのは、多様な立場の意見を踏まえ、あらゆる可能性を考慮したうえで課題解決のアプローチを決定する「公平性」です。新たな取り組みを進めるときに実施する意見交換会のような場では、発言や主張を描き出し、議論の内容をとりあえず視覚化し整理してみるだけでも、参加者の理解度が格段に高まります。模造紙は会議の振り返りとして使われたり、写真を撮って帰ってくれる人がいたりと、場の議論をその後につなぐ道具にもなります(#2)。最初は人前で描くことに抵抗があるかもしれません。ですがだれでも最初は見よう見まねで慌てて描いた拙い経験があるもの。失敗を恐れず、まずは描いてみることが大切です。

#1 「役所×グラフィック」未知への挑戦

> 尼崎の業務改善に関する事例について、発表しあい、市の代表となる事例を決める会

全国都市改善改革実践事例発表会in尼崎

📅 2017年1月 📍旧 中央公民館(現 中央北生涯学習プラザ) 👥 尼崎市職員約100人 🎨 模造紙、カラーペン[プロッキー]

・色の統一

タイトルの「色」は、全5事例の発表を通して
統一すると見やすい

・言いたいことを目立たせる！

発表者がいちばん伝えたいことには大きく太く枠線や影を付けると効果的

・ポイントとなるイラスト

少し添えるだけでも視覚的にわかりやすくなる

Tips

「リスト型」を使う

あらかじめ「型」を決めて描きすすめると模造紙に迷いが出なくてラク！例のように、発表内容の要点をまとめる場だと、タイトル＋箇条書きでメモしていく「リスト型」が描きやすい

🔥 反省点

- 補助色の「黄色」をメイン文字として使ってしまったため見にくい
- 文字の太さにバラつきがある　・文字の大きさに強弱がない
- もっと強調できる色（赤とか）を使えば良かった

#2 意見の共有をスムーズに

第3回「みんなの尼崎大学」庁内意見交換会

📅 2017年2月　📍尼崎市 市政情報センター
👥 尼崎市職員約30人　🖊 模造紙、プロッキー

・大事なことは二重線

黄色の二重線により、タイトルが見やすい

・絵のバランス

文字だけにならず、図や絵が程よく入っているとやはり読みやすい

・アジェンダの個数を提示

「今日やること」に数字を振って書いておくことで、各グループの発表時のグラレコを助ける

Tips

複数人で描くコツ

黄色の点線を挟んで左右別の人が描いている。あらかじめ描く範囲を決めておいたほうが、お互い密度や字の大きさを揃えやすい

小見出しを付ける

話題ごとに【】をつけることで見やすくなる

囲み線の太らせ方

影が落ちているように、右線と下線を太らせると見やすく目立つ

🔥 反省点

① もっと行間を空けて、後で図や補足を描き足せる余白をもたせたらよかった

② 文章を詰めすぎて、下に余白ができてしまった

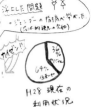

「みんなが先生、みんなが生徒、どこでも教室」を掲げる「みんなの尼崎大学」。学びの場・学んでいる人・活動が連携して、尼崎をもっと楽しく学べるまちにするこのプロジェクトの意見交換を庁内で行った

さりげなく絵を混ぜて会議を効率化

例えば#3「ヒトもカネも減少する日本を行政だけでは支えきれないため、地域協働が必要になる」というイラスト。文章に比べて地域協働のイメージが浮かびやすくありませんか? 文字だけでは理解するのに時間がかかる内容も、イラストを交えて視覚に訴えることで直感的な理解が可能となります。一般的に行政が作成する文書は、すべての受け手に対し正確かつ平等に伝えるため多くの言葉を要し、いつのまにか小難しい文章になって議論の要点を見失いがちです。そんな時も、イラストなら大きなビジョンを図示して「発言の要点」に立ち戻ることができ、交通整理をしやすくなります。ちなみに絵心は一切不要。例えば「学校」のイラストは、四角や丸といった単純な図形の組み合わせで描けるように、ルールさえ知っていれば、だれでも簡単に描き手になれます。

#3 イラスト・余白・色使いで見やすさを追求

公務員と語る、公務員を語る

📅 2020年7月　📍大阪経済大学
👥 公務員 + 大学生約120人　🖊 模造紙、カラーペン[プロッキー]

現役公務員と公務員に関心がある学生さんなどが集まって対話をすることで、公務員志望者に公務員という職業のリアルを知ってもらえる場

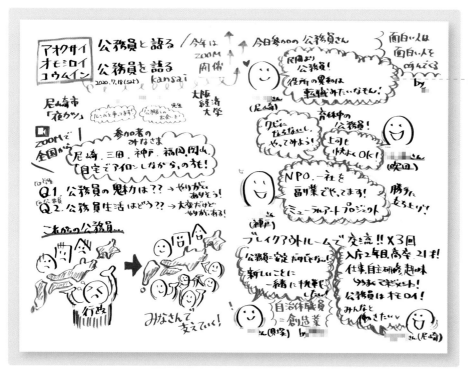

✏ **人が増えるほど要点は絞る**
それぞれの事例発表はポイントや結論だけを描く

💧 **反省点**
- ペース配分ミス。序盤だけで左半分を埋めてしまったため、肝心の意見交換のスペースがキツキツ
- 吹き出しを多用しすぎた。色も使いすぎた

Tips

絵のほうがわかりやすい情報がある
抽象的な概念は文章でごちゃごちゃ書かずにイラストでまとめるとよい

イラストの目線に注目!
イラストの人の目線は見る人の視線を誘導した方向に向かせると話題につながりやすい

「もれなく、正確に」まとめる力

直感的な理解を助けるイラストも、やはり行政ならではの気遣いなくして役には立ちません。小見出しを付けたり、短い言葉に置き換える時も、ニュアンスが変わらないよう正確性に細心の注意を払います。特に最後のまとめなどは、事務局側に都合のよい表現に仕立てた、恣意的な拡大解釈は禁物です。おまけに議事録として残すため、発言を描ききる

脳内処理と筆記のスピード、場に合わせた論点の優先順位付け、キーワードを漏らさない注意力も必要（#4）。大変ですが慣れるまではとにかく経験を積むしかありません。最初のうちはイラストや見やすい強調表現などテクニックに走らず、基礎体力を付けることをおすすめします。勇気を出して始めてみれば、後からのテープ起こしが必要なくなるうえに、その場での内容の可視化は参加者も一体となった場づくりに一役買い一石二鳥。ぜひ実践を！

#4 庁内研修会での"行政文書的"まとめ術

職員研修として実施された
発達障害に関する講演会を記録した

職員研修「発達障害の子供への学びの支援」

📅 2020年2月　📍尼崎市役所　👥尼崎市職員40人　🖊 ホワイトボード、ホワイトボードマーカー（黒）

✏ ・行政文書として記録する
そのまま行政文書として議事録になるので漏れなく、正確に

・きっちりペース配分
講演を聞きながら章立てを判断しつつ、小見出しを付けて整理。配布資料が手元にあれば、全体のボリュームと構成を先に頭に入れておくといい

Tips

文字だけがいい場もある
イラストを描くとイメージは掴みやすいが、意味が抽象化する可能性も。カジュアルさが不要な庁内会議もある

🔥 反省点
ホワイトボードだと、紙のように後から色線や囲みで目立たせられない。ペンも細くゴシック調にならない。書き直しは可能なのは安心だが、一長一短

数字は正確に！
おさえるべき数字を間違っては大変。聞き逃したら空けておいて後で講師に確認！

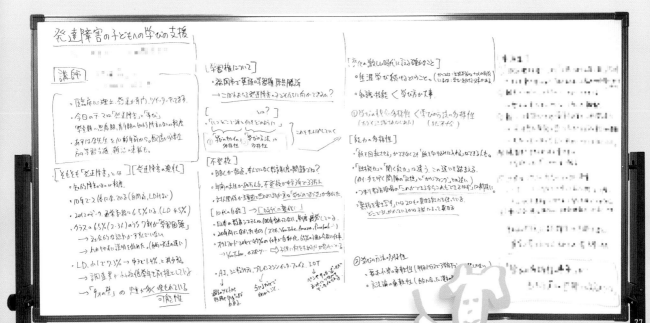

建築技術職として公共施設マネジメントや公民連携に取り組んでいます。カエル党員として「働かない改革」を推進しています。普段は、まちの隙間を探す活動や、がま口づくりにハマって大量に作成しています。

高砂市 政策部 公共施設マネジメント室 公共施設担当係長

石本玲子

グラレコ歴／頻度

約3年／1カ月に1回

どんな立場で描いている?

市民説明会・ワークショップ・職員研修・自主勉強会などで、ファシリテーターやグラフィッカーとして

素早い情報整理で住民対話を支える

"FM魂"を込めて議論を描ききる

公共施設マネジメントを推進するためには、庁内・議会・住民のそれぞれと合意形成を図る対話が重要です。グラフィックは、小難しくなりがちな行政施策の狙いを解きほぐして地域住民へ伝え、対話を持ち掛けるツールになります。#1は、コロナ禍で人が集まることが否定され公共施設そのもののあり方が問われ始めた2020年7月ごろに企画実施した庁内向けの説明会において、公共施設マネジメントの必要性がさらに高まってくるという危機感を庁内職員でしっかり共有したいという思いから、大胆に大きな文字で力強く描くことを心がけました。因みに"FM"とはファシリティマネジメントの略で、公共施設マネジメント担当者の間では、何ごとも"FM魂"を込めて取り組もうという掛け声になっています。

要約〜即記録で伝わる情報発信

手描きの模造紙は親しみやすく地域住民へのメディアとしても有効なツールですが、見る人をワクワクさせながらも行政支援の狙いやビジョンもおさえた情報発信には、要約力が欠かせません。そのため、セミナーや講演会に参加するたびにグラフィックで即時記録を取る訓練をしています。実況中継するようなイメージでどんどんノートに描き込んでいくノートテイキングと呼ばれる手法です。無地のノートに黒いペン1本で描いていますが、日ごろから手のひらサイズで議論を要約し続けることで、大きな模造紙を前にしても地域のために必要な情報を要約して構造化する力が身に付きます。#1では、2021年1月には「公共施設全体最適化計画（素案）」について、タブレットで描いたグラフィックをアニメーション化して動画配信による市民説明を行いました。

※1　　　　※2

『公共施設マネジメントの必要性』
https://youtu.be/4_4Xqvsb8z4

『公共施設全体最適化計画（素案）について』
https://youtu.be/XTV8fUMmyKQ

#1 公共施設マネジメントの意義を伝える

公共施設全体最適化計画（素案）庁内説明会

🗓 2020年7月　📍高砂市役所南庁舎5階大会議室

👥 施設所管課の高砂市職員／40人　🖊 模造紙、カラーペン［プロッキー（青／水／黄／赤色）］

2020年度中に策定する高砂市公共施設全体最適化計画について、施設所管課の担当職員への概要説明とあわせて、東洋大学客員教授・南学さんにお話を伺った

左から右へ

・紙のサイズは臨機応変に

ホワイトボードの大きさ都合で模造紙を半分にカットし、それぞれの課題を書き込んだ

・グレーの二重丸で強調

強調したいキーワードをグレーの背景色で丸く囲んで引き立たせる

💧 反省点

文字を大きく書いたため、模造紙を3枚使用した。
もう少し小さめにすれば2枚になった

Tips

❶ 題字は事前にインパクトづけ
準備時間中にタイトルを大きく力強く書くのが大事！

❷ 議論に集中する時間稼ぎ
講師の似顔絵も準備中に描いておく

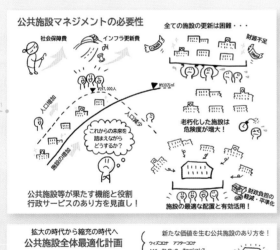

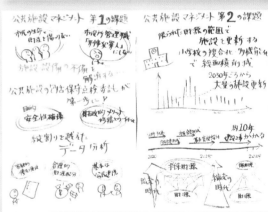

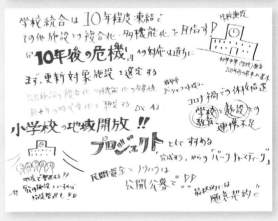

半年後、市民説明のための動画制作にも活用！

似顔絵から始まるコミュニケーション

講師の似顔絵を描くのはもちろんですが、ワークショップ形式であっても、できるだけ参加者のみなさん全員の似顔絵を描くようにしています。チラ見しながら即興で描くのですが、どのワークショップでも参加者全員が喜んでくれます。#3では、会議終了後に「これはだれだれさんやね」というような会話で盛り上がりました。参加者同士のコミュニケーションを深める効果もあれば、似顔絵が描いてあることがきっかけとなり、グラフィックの内容自体に注目してもらえる場面も多いです。似ている、似ていないという絵の得手不得手ではなく、似顔絵を描くことから始まるコミュニケーションを大切にしています。

現場への掲示で引き出す地域の関心

模造紙は地域プロジェクトのプロセスを公開する壁新聞にもなります。#3では、描き上げたグラフィックをプロジェクトの対象地である大手前通りにその都度掲示してもらいました。プログラムの検討状況をオープンにすることで、通行者一人ひとりが共に地域をつくるというメッセージを投げかけるのが狙いです。毎日通りすがりに目にするグラフィックで通りへの期待値を少しずつ高め、最終目標でもある「ファンづくり」にもつなげられるのではと考えました。掲示場所は企画チームの集会所でもあり、集まるメンバーたち自身も前回の内容をおさらいでき、議論のスイッチが入りやすくなるという効果もありました。活用チャレンジのコンセプトカラーに合わせた色使いで統一感をもたせています。

#2 公民連携の意欲を高める

出張版仕事もプライベートもミックス。南部魂で突き進む！

📅 2020年3月　📍 coworking space mocco ／ 兵庫県姫路市
👥 公園利活用に関心のある行政や民間の人たち／15人　🖊 模造紙、カラーペン［プロッキー（青/水/ピンク/黄色）］

> 盛岡市盛岡駅前通の木伏緑地、盛岡城跡公園芝生広場、中央公園など同時並行で複数プロジェクトを動かし、次々と成果を挙げられているNPO法人自治経営・長澤幸多さんに、公園利活用への想いやその原動力を伺った

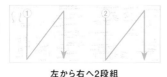

Tips

✏ ・事前準備！
イベントタイトルと講師似顔絵をしっかり描く

左から右へ2段組

・黄色で丸囲み
キーワードを目立たせるために色を変えて強調する

効果的なプチ図解
川を挟んで路線価が違うという話を可視化するように簡単な見取り図を描く

💧 **反省点**
・プロッキーの色の使い分け（水色と青色）、黄色で囲んだ文字のルールが曖昧になってしまった
・ペース配分ミスでしりすぼみな可視化に。終盤の盛り上がりで出た貴重なキーワードが強調できなかった

姫路大手前通りのエリア価値向上を目指す会議。日常使いできて居心地の良い場所にするためのコンテンツを決定するため、全5回のワークショップ形式で行われた

姫路大手前通り活用チャレンジ「ミチミチ」企画チーム企画会議

📅 2020年8〜9月（全5回のうちの3回）　📍 カマタニビル1階　🖊 模造紙、カラーペン［プロッキー（青／水／グレー／黄色）］
👥 OMK企画チームメンバー約20人

3-1　グループワークの手順を示した

Tips

❶ 議論のポイントを横に貼り出しておく
事前に資料を読み込み論点を可視化しておくと、参加者の思考整理に役立つ

❷ スタート時に議論のゴールを示す
最初に強調して描き込んでおく

❸ 空き時間も有効活用
グループワーク中は絵の強化タイム。参加者の似顔絵を描き、チームごとに囲んだりできる

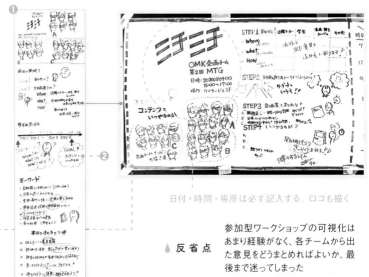

日付・時間・場所は必ず記入する。ロゴも描く

💧 **反省点**
参加型ワークショップの可視化はあまり経験がなく、各チームから出た意見をどうまとめればよいか、最後まで迷ってしまった

3-2　ロール紙は2枚用意。1枚目には3チームそれぞれの提案内容を書きとめ、2枚目で集約

1 **エリアマップを描いてから各チーム提案内容を書き留める**

2 **その場でエリアマップづくり**
提案内容をエリアマップに落とし込んだ。エリアの地図はグレーを活用

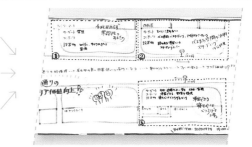

3-3　① 活用エリアをグレーで書いておく！　② 設置予定の什器のイメージを描く

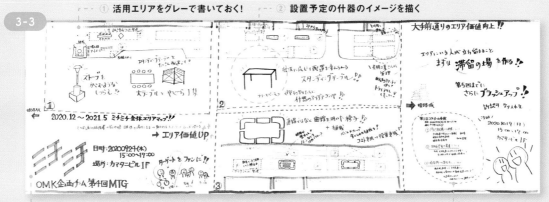

活用エリアが決定していたため、ロゴの位置を下にした　　　　グループワーク中には、コアチームの会議概要を書いておいた

5

行政改革

Recorded by

市役所で事務職をしています。行政の計画策定や職員向けの研修を企画・運営することも。普段は、まち歩きや仲間とDIY、古本市に出店など、楽しく暮らしています。

芦屋市役所 企画部 マネジメント推進課

筒井大介

グラレコ歴／頻度

約3年／1カ月に1回

どんな立場で描いている?

勉強会やセミナーに参加した際に、グラフィックを使えそうなら主催者に声をかけて描かせてもらうか、ファシリテーターとして

カタい行政をときほぐし双方向の議論をつくる

他者と"一緒に"盛り上がるしかけ

「その場で話されたことの可視化」が場を盛り上げることに気づいたのは、2017年に神戸で開催されたCode for Japan SummitというIT系のイベントで、グラレコがすべてのセッションに使われていたのを目の当たりにした時でした。グラフィックは話のすべてを記録できるわけではありませんが、議論の大きな流れを掴みながら、トピックごとの強弱や、ポジティブなのかネガティブなのか話者の意識の方向などを共有し、共感を促す効果があると感じています。普段は市役所で事務職として働いていますが、市民が参加するワークショップや職員研修のプログラムに、要約と同時に、堅くなりがちな場を、打ち解けた話しやすい雰囲気にすることを狙い、グラフィックを組み込むこともあります。

スピーカーが話しやすいよう場をあたためる

#2の勉強会のようなセミナー形式の場を記録することが多く、そこでの主役はスピーカーです。話がリアルタイムで可視化され「理解されている」「安心して話せる」と感じると、話者は自然とノッてきて良い場が生まれるように思います。自分の要約技術を活かしてその場にシェアし、プレゼンのまとめや質疑応答といったプログラムと組み合わせることで、話者からの一方通行の講演ではなく、参加者と一緒につくる場になっていきます。その場で話を適切に記録するために、スピーカーの著書があればざっとでも読んで持参したり、スライド資料があれば事前にもらったりと、本番前のインプットは欠かせません。資料の入手がかなり重要なので、企画側にはしつこく確認します。だれから見える場所で描くかも、地味に重要です。

#1 当事者の図化が一言目の背中を押す

総務省地域情報化アドバイザー近畿会議
地域課題解決型ワークショップ

📅 2019年12月　📍 大阪市合同庁舎会議室
👥 地域情報化アドバイザー・自治体職員／6名(1テーブル)
🖊 模造紙、カラーペン[プロッキー(黒／グレー／黄緑／薄ピンク)]

関西の地域情報化アドバイザー*の交流と意見交換会議。この会では自治体職員も交え、テーマごとにそれぞれの自治体の課題を話し合い、解決のための情報交換というワークショップ形式で行われた

*地域情報化アドバイザー：地域でのICTやデータの利活用の推進のため、自治体からの依頼で講演やアドバイスを行う

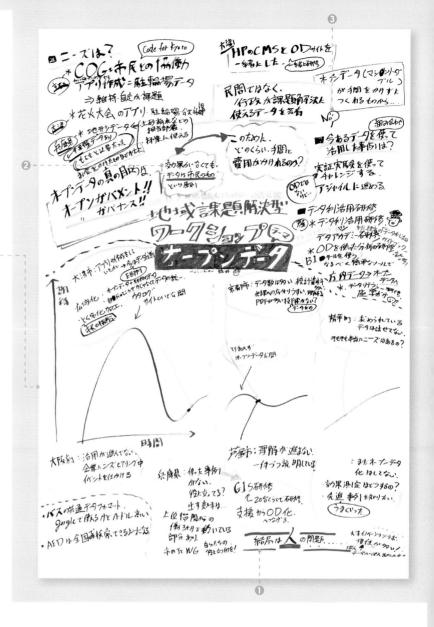

参加を促す仕掛けて議論スタート

出席者の自己紹介と各自治体のオープンデータ取り組み状況について。[導入への期待値×時間経過]の3グラフ上に[現在地]の点を描く自己紹介が議論の口火に。指差し会話で体も動き、場があたたまる

進んでいる自治体や、似た状況にいる自治体なとか議論中にわかりやすい

↓

発散形の議論たったのて、小さいテーマことの固まりを放射状に

反省点

- 最初の3グラフが大きすぎて、ディスカッションの記録が窮屈になってしまった
- 情報量が多く模造紙1枚では足りなかった。運営側へ予備紙の準備依頼も忘れずに

Tips

議論のポイントをアンダーラインで示す

◆ 要点にはアンダーライン。レイアウトが窮屈になったときこそ、ラインの色や太さで情報を整理

◆ 軽い強調のアンダーライン、グループ化の囲み線、イラストの陰影付けにグレーペンは超便利！発色の良い色と合わせて使うとメリハリが出る

発言量が多い時、イラストは最短・最小限に

記録に残る安心感があるほど議論に集中できる

グループワークなら全員が模造紙を囲める机配置に

立って描くと盛り上がる。物理的な動きは雰囲気づくりに効果的

グラフィック+αの場づくり

#1のように、参加者の面識がなく、緊張して始まりがちなグループワークでは、身体を動かすことも議論の活性化に効果があります。この事例では、急遽テーブルファシリテーターを任され、備品の模造紙とプロッキー以外に、自前のグレーや蛍光色のプロッキーを持ち込みました。ワークの冒頭、テーマに合わせたグラフ表現による仕掛けにより、動作も加えたコミュニケーションの発端をつくりました。参加者全員が模造紙を囲めるテーブル配置に変えたことも、お互いに話しやすい場づくりにつながった実感がありました。ファシリテーションはまだ経験が少ないので、グラフィックを情報整理フレームや身体的、物理的な環境づくりなどほかの手段と組み合わせ、スキルを伸ばしていきたいところです。

活動を可視化するPR素材

グラフィックは会場に貼り出され、参加者の振り返りを助けたり、SNSでシェアされたりするだけでなく、WEB上でアーカイブされることもあります。#2はグラレコを始めたばかりで反省点が多かった事例ですが、長期にわたってCode for Kobe定例会の会場になっているコワーキングスペースに貼り出してもらえました。活動の広報機会が少なく、敷居が高く見られがちなCode for Kobeのようなコミュニティにとって、何をしている団体なのか、関心をもってくれる層へのPR媒体としても、こうした記録は有効だと考えています。イベントや団体のコンセプトカラーや季節感を伝える配色をするといった小ネタで、場の雰囲気づくりと同時に、後から見られたときの広報効果も狙います。

#2 言語×専門性の壁を乗り越える

U.K. Government Digital Service in KOBE

🗓 2018年10月　📍ひょうご起業プラザ
👥 神戸市や近隣自治体の公務員やITエンジニア、一般参加者30名ほど
🖊 模造紙、カラーペン［プロッキー(黒/赤/青/灰色)］

イギリス電子政府（GDS）の職員を招いて、社会のためにITを使うため何をしているのか、政府内にどんな変化をもたらしたのかを聴き、Code for Kobeと意見交換した

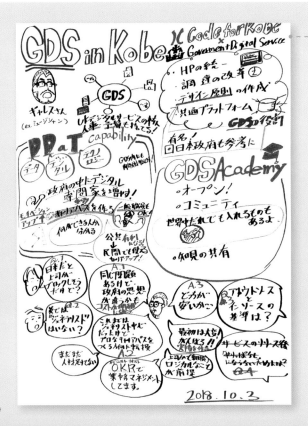

✏ 左上からジグザグに下へ
講演のグラレコを担当するときは、迷いがないよう［ジグザグフォーマット］一択と決めている

💧 反省点
イギリスカラーを意識し過ぎた。原色の使いすぎは見づらいので注意

Tips

さまざまな仕込み

◆ 英語の話者なら前夜に英文レジュメをgoogle翻訳で読んでおく。おかげで専門用語にも動揺せず可視化できた

◆ 団体のロゴなど、イメージを伝えるワンポイントを入れるように一工夫

#3 公務員のくすぶる思いを発散・共有する

📅 2019年10月　📍コミューン99
👥 有志の公務員／ 5、6 名(1テーブル)
🗂 模造紙、カラーペン［プロッキー（黒／グレー／蛍光オレンジ／赤紫）］

第81回 元町カフェ　ワーク・ライフ・コミュニティ・バランス

第 1 部　地方公務員の有志が集まる勉強会。スーパー公務員の山形市・後藤好邦さんから公私織り交ざったこれまでの活動をインプット

✏️ **左上からジグザグに下へ**

1. **自己紹介**…話者の似顔絵に吹出しをつけることで、この模造紙の主語を伝える
2. **メインの話題**…事前リサーチで調べたメインの話題候補は真ん中に描く。ほかのエピソードを吹出しでつなげて構造化
3. **サブの話題**
4. **まとめ**

💧 **反省点**　好きなミュージシャンの話題でイラストに手を出し時間をロス。イラストは自分の気持ちも高めるけどほどほどに

Tips

似顔絵は似てなくていい
メガネの有無や髪型だけで「記号化」

文字が密でも枠線や塗りで情報を区切る
単調にならないようパターンを使いわける

第 2 部　参加者がワールド・カフェ方式で、これからワーク・ライフ・コミュニティ・バランスをうまくやっていく術を議論した

💧 **反省点**

- Q&Aはテンポが速いので毎回必死。だれかに手伝ってもらうのもアリ
- （自分も参加者の場合は特に）発言をリアルタイムで描く技術が足りない
- 1枚に詰め込むはずが中途半端に2枚目へ突入。時間管理をし忘れ、紙の配分を間違った

✏️ **左上から右下へ**

Tips

余白の遊び心
終了後の余白は雰囲気を壊さない範囲で自分好みにアレンジ

✒️ **参加者同士のコメントを矢印で結ぶ**
テーブル全体で議論をつくる様子を可視化できた

6
ソーシャル

Recorded
by

「未来のあたり前を今ここに」をテーマにファシリテーター兼グラフィッカーとして活動しています。たくさんの話し合いを重ねて行動した仲間たちと「おつかれさま!」と乾杯し苦楽を分かち合う瞬間が大好きです。

場とつながりラボ home's vi

山本彩代

グラレコ歴／頻度

8年目（2014年〜）／月3回

どんな立場で描いている?

1. 主催者が集まりの内容を残しておきたい時に

2. プロジェクト伴走や組織変革を意図するミーティングにおいて、ファシリテーションをしながら必要なタイミングで描きながら話を整理する

のびしろをシェアして未来に貢献しあう

成長するチームは安心感から始まる

打ち合わせは「今感じている・気になっていること（How do you feeling?）」の共有から始めます（Thinkingでないのがポイント）。その日の状態を話すことからお互いの人となりを把握し、発言の背景にある思考や違和感を抱くポイントへ互いに理解が生まれ、心理的安全性を高めることができます。明確な答えでなくても、個人的なことでも、発言が増えてきたら可視化の出番。#1は、読書会の運営手法の普及の理念を定めた場。「なんで普及に関わっているの?」「だれの笑顔が見れたら嬉しい?」と質問しあい、一人ひとりが見出している可能性を、妄想も交えて多角的に描き出しました。イメージを絵にしたり、描き出した言葉をつないだりすることで、ぼんやりとした想いに輪郭を与え、輪郭が見えるとさらに発想が浮かぶ。そんな未来を描く場へ変化しました。

理解が見えたうえでフィードバックがある価値

#2は、講義の可視化です。「何度も見返せて安心。聞き漏らしていたことに気づいた」という参加者や、「伝えたかった要点が残されている」「この言葉のほうが適切かな」という講師からのフィードバックは、描き手にとって何より嬉しい成果。微調整して次の会に備えます。このように「描くことが場への貢献になる」と気づいたのは、社会人1年目で入社したベンチャー企業の会議でした。先輩たちが交わす高速議論と意思決定についていけず、途方に暮れながらもとにかく議論を理解したくて板書をしてみることに。すると「違う。その意味じゃない」と大量のフィードバックがもらえたのです。意図や文脈を掴むための板書は同期社員にも好評で、いつのまにか会議の理解度を共有する若手の振り返り時間が定例化し、業務効率もアップしました。

#1 "可能性"から自分たちの未来を描く

アクティブ・ブック・ダイアローグ® 普及チーム2月ミーティング

📅 2018年2月15日　📍518桃李庵
👥 参加型読書会手法を広めようとしている7人(私を含む)
🖊 ホワイトボード、ホワイトボードマーカー

2016年ごろ、ジグソー法とKP法から着想をえて生まれた読書会手法の普及を考えるミーティング　約1年前に作成・リリースした無料マニュアルのダウンロードと実践者の急増をうけて、今までの業務だけではなく、立ち止まって関わりを話し合い、理念を仮作成した

http://www.abd-abd.com/

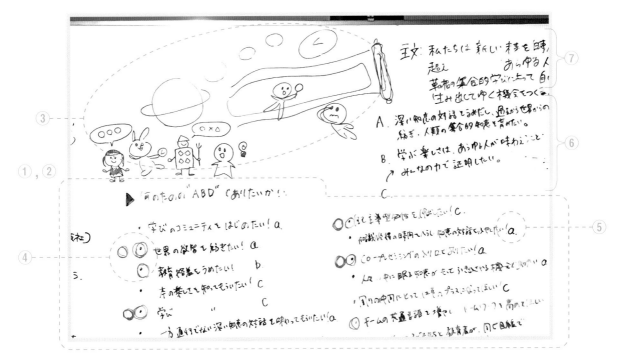

ファシリテーター役はいなかったが、過半数が「未来デザイン考程」のフレームワークを体験したことがあったので、ゆるくプロセスだけ決めて、なんとなく「私、板書役しますね〜」で始まる

1 **箇条書きで描きとる**…「なんのための読書会手法でありたいのか?」への発言を募り、描きとめる

2 **問いを変える**…なんのため……で考え込んで発言が止まったので「どんな可能性を感じてるの?」と質問を何度も置き換えてみる

3 **自分が一番手になる**…「私は話を聞いていてこんな未来が浮かんでますよ〜」と描いてみた

🖊 自分自身がメンバーの時は、自分の意見も積極的に絵にして提案

4 **ゆるい投票制で気持ちを可視化**…「いいな!」と感じる文章にそれぞれが赤丸をつけ関心・興味を共有

5 **a〜cで分類**…箇条書きの文を、言い表したい方向性ごとに分類

6 **分類した文章ごとに統合文を考える**

7 **主文をまとめる**…すべての意味や表したいことを盛り込みながら統合した文をつくる

💧 **反省点**

集中力のスタミナ不足。メンバーの助けで後半の個別意見はなんとか描き取れたが、主文は時間内に考えきれなかった(終了後に統合)

Tips

フレームワークの引き出しを増やす

今回は「未来デザイン考程*」を使った。フレームワークはいくつか記憶しておくと、即興的に始まってもレイアウトが頭にあるので安心して内容に集中できる。当時は苦手なフレームワークだったので、自身のエンジンがかかるまで時間がかかった。参加経験やファシリテートする経験などワークへの慣れも大事な準備となる

答えが出ないなら言葉を変えてみる

問いが意味することをハードルの低い言葉かけで置き換えると、何か出てくることがある

* **未来デザイン考程**：株式会社博進堂の特色ある教育プログラムのベースとなっている。清水義晴、居城葛明、和田一良『集団創造化プログラム』(博進堂、2002)に掲載されているワーク

行動する価値は「のびしろを見出すこと」で気づく

プロジェクトを発足させても徐々に活気が失われたり、手詰まりになることはありませんか？　そんなときは「課題」のみではなく「のびしろ」を探してください。#3は、①企画メンバー（市町村社協の有志ボランティアコーディネーター、以下Vco）、②企画メンバー外のVco、③地域の方々、④事務局の京都府社協、⑤つながりたい若者、という5者の議論

です。それぞれが「こうしてくれたら嬉しいな」「こんな展開も面白そう」と他者への期待や未来の可能性を描き出すことで、半歩先のありたい姿が浮かび上がりました。#3のように目線が複数存在する議論では、言葉の選び方1つで「それなら私もひと肌脱いでみる」と各々の行動を引き出す好循環が生まれます。どんな視点や立場から発せられているのかを観察できるようになると、最適な一歩を見出せます。

#2 伝え手の"伝えたいツボ"を残す

TEAL時代のセルフリーダーシップとコミュニケーション

- 📅 2020年6〜8月　📍オンライン／Zoom
- 👥 4社の企業・団体のスタッフ12人
- 🖊 描画アプリ［Tayasui Sketches Pro］、iPad + Apple pencil

ティール組織やNVC（非暴力コミュニケーション）の基礎知識を学び、自分たちの現場で自ら体現することを目指す全8回のセミナーシリーズ。ティール組織の3つのブレイクスルー（セルフマネジメント・全体性・進化する目的）を各回テーマに、後半はNVCのワークをする構成

https://tealnvc.mystrikingly.com/

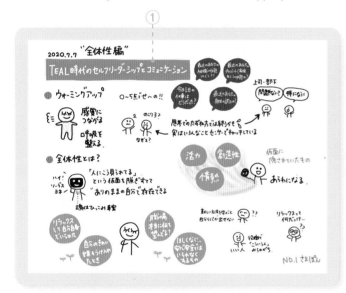

⓪ 準備しながら、アプリのバージョンアップ・動作確認、Apple pencil・iPadの充電を確認しておく

↓

① タイトルとテーマを書いておく

② 事前打ち合わせ…講師陣から今日の流れとスライドを共有してもらう。構成をイメージしておく

③ ひたすら聞いてメモ…時間をかけて何度も説明された内容や、印象的な講師の身振り手振りをアイコンに。言葉は読める範囲のミミズ文字でメモ

④ 思い切ってまとめる…終了後の約1時間で言葉を清書、イラストの位置を整える。芸人のツッコミのように諦めと思い切りが重要

⑤ 講師への確認…意図の違いや描き漏れがないか確かめる

⑤ 全員にシェア…PDFに書き出して会のFacebookグループへユニットごとに投稿（録画や講義資料も後日共有）

Tips

身体のケアも描き手の仕事
長時間描いても手が疲れないよう、Apple Pencilにペン先ゴム・ゴムグリップを購入しておいた

得意分野をつくる！
繰り返しグラレコを描いてある分野に詳しくなると、自分に知識の蓄積があるので要点も掴みやすくなる

💧 反省点

- 盛り沢山で時間に余裕がない会は、グラレコを見ながらの対話ができないのが残念。事後の学びのサポートにはなった
- オンライングラレコは無限に修正ができてしまう。事後すぐに取り組める日はいいものの、忙しくて後日になると忘れてしまい億劫になる

洗いざらい出し切り、共に引き算する

短期で何度もフェーズが移り変わったり構成メンバーが入れ替わったりするプロジェクトは、積み上げ型の議論や価値判断軸の共有ができず、意思決定が難しくなります。#3では、議論の途中、何度もグラフィックを見渡しながら「話せてないことはない?」「2020年だからこそ挑戦できることは?」「何が決まると動きやすい?」「このスケジュール……無理ないで

すか?」と参加者に訊ね続けました。すると徐々に「それなら私がつくりましょうか」などの提案が起こり、少しずつ作業イメージが浮かぶと、できるかも!という安心感が生まれます。参加者の自己決定・納得感があって初めて次の行動が生み出されるため、アイデアと個人の懸念・不安の両方を場に出しきる手助けをしながら、「何なら今の私たちに充実をもたらすか?」を軸に収束を促します。

#3 自己決定と納得感で関わりしろをつくる

ボランティアの入り口デザインプロジェクト

🗓 2020年8月29日 📍京都府社会福祉協議会 👥 市町村社協ボランティアコーディネーター5人、府社協担当者3人 🖊 ホワイトボード、ホワイトボードマーカー

京都府各地で共通するボランティアの担い手不足という問題に対して、府社協と各市町村ボランティアコーディネーター有志が結集し、入り口をつくる取り組みを行う。感染症拡大で企画の大半が白紙になり、会えないなかでもできるアクション(Instagramの運用)を考える場

のちに生まれたInstgramアカウント:てのひらの展覧会 @tenohiranotenrankai

0 **気持ちのスイッチを入れる**…はじめにチェックインや前回の振り返りをして、日頃の業務からプロジェクトに心身を切り替える(記録しない)。コロナ禍の対応でメンバーが想像以上に疲弊していた。焦ったものの、ゆっくり行こうと決める

1 **前回宿題を確認**…Instagram投稿するならこんな写真!を集めて発表
　✎ 発言を要約せずに、話した方の言葉そのまま書き出す

2 **宿題発表からテーマを考える**…何のために実施するのか原点に立ち返り、テーマや企画名を考える

3 **さらに、だれに何を届けたいかに立ち返る**

4 **ネクストアクションの整理**…アイデアと実行者を募り、新規のつながりづくりを目指す

理解を深め合う「チェックイン」
チームやコミュニティの各メンバーが今どんな気持ちや状態か、どんな所属で何に詳しいか、得意かを聞き合う時間をつくる。短時間で打ち解けやすくなる

いきなり正解を探さない
やってみないとわからないアイデアに対して無理に結論を出さない。後から検証できるよう選択肢を用意しては?と声かけをする

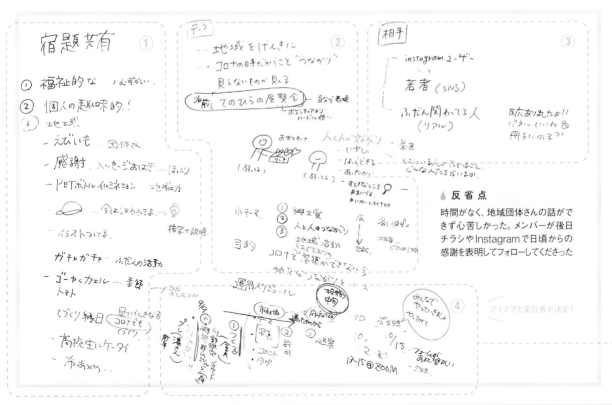

💧 **反省点**
時間がなく、地域団体さんの話ができず心苦しかった。メンバーが後日チラシやInstagramで日頃からの感謝を表明してフォローしてくださった

Recorded by

自律的で共創的なコミュニティを創る活動をしています。非暴力コミュニケーションなどを通して、身近なサイズの平和づくりができるリーダーシップを育むことに注力中。趣味は旅とウクレレです。

ファシリテーター／グラフィック・ハーベスター／ピースワーカー

中尾有里

グラレコ歴／頻度

子どもたちの自己決定や学びのために描きながら話し合いを進めていたのは10年ほど前から。よし、グラフィック・レコーディングをやるぞ！と奮起したのは7年前／1カ月に1〜5回

どんな立場で描いている？

講師やファシリテーター、組織やプロジェクトチームの伴走者の立場で。また、メンターとして個人の相談を受けている時に。グラフィックハーベスターとして描くときには、記録に残したり世に発信したりするだけでなく、そこにいる人たちの関係性がより深まったり、議論が創造的になったりするお手伝いとして

ズレや違いを面白がり共創できる社会へ

だれがどこへ向かいたいか察知する

依頼を受けて可視化するとき、まずは入念にヒアリングを行います。グラフィックを導入する目的だけでなく、そもそもどんな場を望んでいるのか、そこにいる人がどんなふうになって帰ってほしいのかを聞くようにしています。場の成果物には「報告書に載せられる1枚のグラフィック」といった具体的なものもあれば、「よりアクティブに意見を出しあえる関係性」といった目には見えないものもあります。それがわかると「じゃあここでグループごとにワークシートをつくって配りましょうか」などと提案できるし、主催者と共に新たな選択肢を生み、理想の場の雰囲気へぐっと近づくこともできます。場の意図をよくわかっていると、当日臨機応変に動くことも可能です。

ズレや違いはより創造的な解のタネ

もとは子どもたちのケンカ仲裁に可視化しながら入っていたのですが、グラフィックを見ながらだと共有していた事実のズレや、願っていたことの共通点に気づきやすくなりました。それが関係性の突破口となることがあります。組織でもそれぞれの違いは面白い化学反応のタネです。ビジョンの話をする時も、あえて個人のライフプランや野望を描いておくことでお互いを知ることができ、「あんなこと言っていたからこの分野はあの人に頼ってみよう」と適材適所が加速するチャンスです。2つ以上の異なるアイデアを並べれば、掛け合わせて今までは思いつかなかったような解が生まれることも。発言から個人の紐付けを解いて可視化し、それを見ながら話すと、対立ではなく協働関係になりやすく、共に手直ししながら進めていくことが容易になります。

#1 科学をもっと身近に。万人の「？」につなぐ

サイエンスアゴラ2019

📅 2019年11月15〜17日　📍テレコムセンタービル・日本科学未来館・シンボルプロムナード公園ウエストプロムナード　👥開会式に参加した研究者や一般市民約100名（全5201人）　🖊模造紙、付箋、カラーペン［プロッキー／ Neuland ／ポスカ］、白シール、A4用紙、両面テープ、ホワイトボード、マスキングテープ

科学と社会を結ぶ、日本最大級のオープンフォーラム「Human in the New Age: どんな未来を生きていく？」をテーマに据えた2019年は、専門的な議論を「結局は私たちがどうやって幸せに暮らしていくのか」という万人の問いにつなぐ。話題提供中に描いたライブ用、会場への掲示やSNS・ウェブ発信用の2種類を作成

0 予習、予習、予習…内容が専門的なので事前に大量の資料をもらい、用語や参考になる記事も幅広く網羅して理解

事前準備…本番は逐次通訳の2カ国語で専門性が高い会。似顔絵やタイトルは事前に描いておく

服装や髪型は当日の直前打ち合わせ時にチェックして描き加えていく。本当に直前で時間が少ないので必死。のどカラカラ

↓

本番スタート！

1 内容を描いていきながら似顔絵と名前は登壇順に貼り付けていく

↓

2 同時通訳は二人三脚で…同時通訳がある場はどちらを聞いていいかわからなくなるので、私は日本語に集中。隣でサポートしてくれる人に英語を聞いてもらって付箋で書き出してもらう

↓

3 参加者に目撃してもらう…とにかく内容をキャッチしてその場で描く。ライブの目的は科学に携わる人に可視化というコミュニケーション手法を知ってもらうこと

4 その日中に仕上げる…セッション後に控室で仕上げの1枚を作成！これに2、3時間かかるのだが、当日中に掲示する必要があり必死

↓

5 掲示完了！

🖉 ・基調講演者はカッコイイ雰囲気て、顔がよく見えるように

・英語のまま残した方がキャッチーなところは英語のまま

💧 **反省点**
・案の定、中身が濃くてスピードも速くてライブで色が付けられない……
・仕上げの一枚は大切なところを切り出したつもりだけどギッシリ過ぎて見づらい。もっと情報を削らないと

補助：久保健太郎

あれ？ できちゃうかも！ の体験を創る

グラフィックは場をやわらかくし、人やコミュニティをつなぎます。レクチャー型の場をもうとしていたのが、絵を見て対話が弾み、シールを貼ったり意見を描き込んだりと参加型の場に変化したこともあります。学校、大学、企業などで「みんながペンを握ったらいつもよりアクティブに意見を交わせた!」「子どもたちってこんなにできるんだ!」という声が聞けた時の嬉しさはひとしお。人がもともと持っているパワーを発揮する経験を積み重ねれば、もっと学習者主体の、市民主体の社会をやっていけるね、という希望につながると目論んでいます。#1や#2のような専門的知識も、わかりやすくポップに描かれていると他人事から自分ごとへ変わり、最先端のテクノロジーと共にどう幸せに暮らしていくのかをイメージしやすくなるんじゃないかと思っています。

理解から次の一歩が自然に生まれる

人の相談に乗る時、話された事実・感情・その人の価値観を可視化しながら聞きます。描きとめることで、聞かれている安心感が得られ、鏡へ映すように自分の気持ちや大切にしていたことに気づくことができます。#3のような大人数の研修では、会が進むにつれ情報量が増えますが、そんな時はグラフィックでフィードバックする時間を設けます。グラフィックの利点は、抽象的な要素も色や比喩、線の強さなどで記録に残せること。「こんなことを話しましたね」「ここで盛り上がりました」「表情や声のトーンがこう変わっていったように見えます」と、個人の発言だけでなく全体の流れや場のムードも含め伝えることで、理解や問いの創出を助けます。現在地を客観視できると本質が明らかになり、自然な形で「そうだ、こうしてみよう」とコミュニティの次の一歩が生まれやすくなります。

#2 こんなの知ってる？ 楽しく身の丈の社会変容

トランジションタウンという持続可能な社会のための地域コミュニティ活動の日本における10周年集会へ納品した、活動コンセプトのビジュアル化。その後もこの模造紙は全国を行脚中。自身のくらし、まちづくり、パーマカルチャー界隈の活動の体験をもとに、持続的で共生的なライフスタイルの普及を願って描いた

日本におけるトランジションタウン10周年記念

📅 2018年9月7日　📍 藤野芸術の家　👥 トランジションタウンに関係のある約130人
🖊 模造紙、カラーペン［プロッキー］、パステル

0 **事前リサーチ**…日本の「トランジションタウン」にまつわる文章が送られてくる。場所や登壇者の顔などを調べておく

会ったことがない人でも似顔絵を描いているうちに親しみがわいて、後日会うと嬉しさもひとしお

↓

1 **構成案づくり**…全体の構成やタイトルデザインを考えてスケッチブックになんとなく描いてみる

2 **下描き**…模造紙にシャープペンであたりをつける

3 **色入れ**…プロッキーで描いていく

4 **仕上げ**…パステルで背景の色を付ける

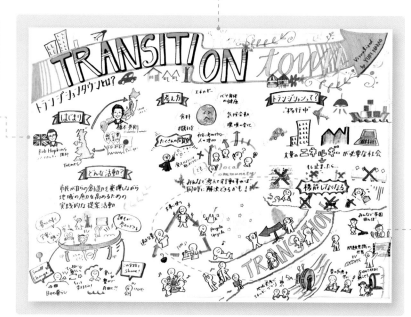

Tips

❶ **目を引くタイトルデザイン**
タイトルを大きくつけて、掲示したときに目を引くように。前向きで楽しくエネルギーのあるイメージのタイトルにした

❷ **ウソを描かない入念な調査!**
事前にリサーチした文章の内容と自分の体験を合わせてイラストに

🔥 **反省点**
大量のエネルギーが必要な社会からのトランジション。よりポジティブなイメージが伝わるよう、向きを下から上にした方がよかった

まちに生まれる新芽を100人で可視化する

全国から1年に1回、京都に想いのある35歳以下の若者100人が集い交流 24時間で"京都の未来をアップデートする"ための方策の議論をグラフィックチーム4人で記録

京都わかもん会議

- 📅 2017年2月11、12日
- 📍 宇多野ユースホステル
- 👥 京都に想いのある若者100人
- 🎨 クラフトロール紙、付箋、カラーペン［プロッキー］

一緒に描いた人(五十音順)：田上有紗／馬場奏／肥後祐亮

Tips

❶ 大人数でも見やすい絵巻物形式

100人で見られるような大きな絵巻物で2日間を描く

❷ 現在地を把握する

付箋をグルーピングしながら、あぁこんなことがあったね、とその場のみんなで確認する

---

0 前もってタイトルから1日目のディナーまでは描いておく

↓

1 全員で前日を振り返り思い出す

↓

❶

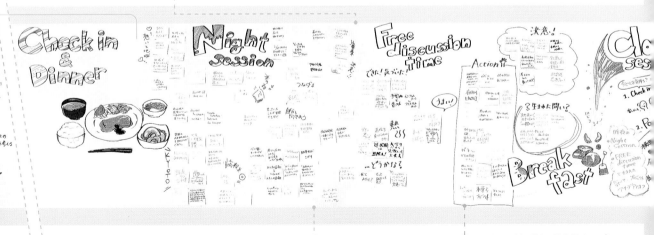

色んな人のコメントが加わってもいいように余白たっぷり

2 全員参加タイム…全員に付箋を配って、夜の時間に何が自分に起きたか？盛り上がった会話のこと、気持ちなど描いてもらう

→

3 グルーピング作業…付箋をグルーピングしながら声に出していって、みんなで共に見る体験

→

4 感想の共有…どんなことを今感じているか参加者からリアルな声をあげてもらう とんな風に過ごした？過ごしたいか？自己の感覚に耳を傾ける時間

付箋をみんなから出してもらう「聞かれる／聞き合う」体験

❷ クロージングまで描き残す →

💧 **反省点**

- この頃はまだ自信がなくて「グラフィック・ファシリテーション」ばかりしていた。描くのはほかの3人に頼り切り
- メインファシリテーターの意図とは裏腹にこの時間のあとの過ごし方まで持っていってしまった…はみ出すのもいいけど、それはすべての人へのリスペクトあってこそ

6

ソーシャル

Recorded
by

見えている課題の解決や、見えていない問題の探索に可視化を活用しています。特に、まだ想像の範疇を出にくい未来を具体的に捉え、組織やチームで共有しながらプロジェクトを推進する基盤をつくる実践を重ねています。

株式会社沼野組 代表取締役社長

沼野友紀

グラレコ歴／頻度

約5年／1カ月に3、4回程度

どんな立場で描いている?

ビジュアル・ファシリテーターとして

線で対話し個をつなぐチームビルディング

チーム全員で改善策を練る組織づくり

起こってしまったトラブルの原因を究明して再発予防策を講じることは、どんなチームや組織づくりにおいても大切なコミュニケーションです。ディレクター職をしていた当時、私がおかしたミスの対策会議で「いつどこでどんな行動を起こしたのか?」「本来はどうするべきだったか?」を議論する際、自らホワイトボードの前に立ち、説明をしたことがあります。まず自身の行動と判断のプロセスをフローチャート化し、事故の発生箇所や原因を赤色で描き示しました。するとそれを見たチームのメンバーから、思い違いや連携不足があった箇所、本来取るべきだった手段へのアドバイスがどんどん出てきて、それを青色で描き足していきました。事故発生の原因を突き止めるだけでなく再発防止策を同時にあぶり出す。属人的な批判ではなく、チーム全員で建設的に議論する可視化の効果を実感した出来事です。

課題を浮き彫りにする思考実験

チームや組織には、個々の思い込みや先入観があることをまず共有し、認識のズレを浮き彫りにすること、かつパワーバランスに影響されずだれもが声を上げやすい関係づくりが欠かせません。そのために必要なのが、立場を越えて他者がもつ思考のクセや声なき声に向き合うためのコミュニケーションです。#1は「模擬的な議論を読み解きながら要点を見出す」というワークです。提示された文章を読み、段落ごとの要点を自分なりに一言にまとめます。さらに登場人物4名の関係性を図で考えました。図で示しやすくするよう、簡単な人、アイテム、関係性表現のレクチャーを行い、参加者にはA4用紙に相関図と文章の要点を描き出してもらいました。描き終えた後のディスカッションでは、関係性や要点の掴み方が人によって異なることに互いが気付きました。こうした経験をチームが共有しておくだけでも、認識のズレを恐れない土壌がつくりやすくなります。

得意と苦手を把握して対話をスムーズに

現場力をUPする！ 情報整理研修

📅 2020年9月　📍日本空糸株式会社（岩手県）
👥 従業員のみなさん(8人)　🖊 A4用紙、カラーペン[プロッキー/サインペン]

繰り返し出向きにくい高所という特殊な環境下で、現場を即座に把握し必要な情報を伝える必要があります そこで情報の構造的な理解促進、及び思い込みによる認識のズレを予防し、コミュニケーションコストを下げる研修を実施した

1　A4・1ページの文章を読み解きながら、要点をひとことで書き出す

↓

2　要点を図で表せるように簡単な描き方のレクチャーを実施

↓

3　個々人が描いて聞く…要点を図や絵で表した紙を見せながら、どうしてそう描いたのか？を説明する

↓

4　思考の癖や思い込みを知る…要点の表現の違いにどんなことを感じたかを全員で話すことで、個々人の思考パタンが見えてきた

✏ 描くと自覚する
自分の思考の癖が可視化され、不足する視点が見えてくる。自分の課題を自分の言葉で「こう改善する」と表明すると、行動の一歩になる

読み解きの描き方例

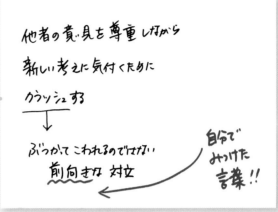

文章を読み、言葉で要約…ほかの人に説明した際に、出てきた発言を赤で追記して、その人なりの見方を明示

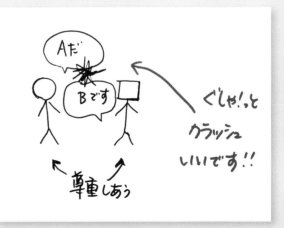

今度は図や絵を交えて同じ要点を描くチャレンジ。再び見せ合い、発見があったことを赤で追記

可視化で議論の準備体操をする

可視化は場の緊張をときほぐす役割ももっています。新しいプロジェクトやアイデアを議論するときは、明確なゴールがある議論の場よりも、自由で柔軟な発想が求められるもの。#2はそんな発散型の議論を行う前の準備体操です。「デザインは何のためにあるの?」「10年後に自分たちを取り巻く環境はどうなっている?」など、現在の課題に直結させない問いを立て、とにかくそれを1本の線で描き表すという"一見関係なさそうなプロセス"です。ここでは「プレゼンテーションって?」という問いを投げかけました。落書きのように見えるひと続きの線に意味を与えるという行為が、普段の凝り固まった思考をほぐし自由な発想を引き出します。抽象的な問いは、日ごろ聞く機会がなかった意外な思いや認識を掘り起こすことにもつながります。そうして議論の場をしっかりあたためていれば、本題をより建設的な時間にできるのです。

組織のビジョンを更新し続けるツール

#3は、とある会社のビジョンを1枚絵に描き表した例です。組織の歴史やこれから目指す社会像を可視化しながら、同時に具体的な課題も見える化しています。理解・浸透を目的としたトークセッションもあわせて行いました。このアクションは一回切りのイベントとして終わらせることなく、組織の成長と個人の成長を紐付けるためのロードマップとしてさらに細分化。勢いある企業の変化に応じ、半期ごとに更新されることになりました。ビジョンやロードマップは、社会の変化を敏感に意識することにもつながり、自社と社会がマッチする状態にしていくものでもあります。メンバー各々が折りに触れてディスカッションし、状況に応じて描き足し、刷新していく時に再び筆者が関わりながら、アップデートをし続けます。

#2 互いの違いを知る抽象的な一筆書き

インフォメーションデザイン基礎
ビジュアルリテラシーによる共創プラットフォームのデザイン

📅 2020年11月　📍静岡県 常葉大学造形学部　👥ビジュアルコース2年生(22人)
🖊 模造紙、カラーペン[プロッキー]

(1) **シンキングタイム**…テーマに対して考える時間を設ける。この場では「プレゼンテーションって何のため?」

↓

(2) **3ステップで議論する**…「考える」「描く」「言葉で説明する」の3段階で時間を区切って進行する

↓

(3) **考えを持ち寄る**…テーマに対して1本の線を描き、互いに説明。線の先を指し示しながら、どこでどんな意味を込めたのか?を伝える

💧 **反 省 点**
4つのテーブルで同時進行していたので、全テーブルの明文化を聞くことができなかった

✏ 「違い」を知るのが可視化の醍醐味

批評・改善しあう関係性をつくる第一歩は「違いを知る」こと。同じ言葉から違うことがイメージされたり、他者の意見を聞いて初めて知ることがあったり、全員で違いを知り合える

1本の線で対話中

4人1組でのグループワーク

#3 全員で価値を共創するプロダクト開発

主軸プロダクトが目指す将来像が、マネジメント層の頭の中にしかない状況であった。これをただヒアリングするのではなく、ビジュアルで見えるようにすることで、プロダクトが目指す方向性を初めて事業部に認知・浸透させようというトライの場

事業部のビジョン可視化・文化浸透プロジェクト

📅 2020年12月　📍株式会社サイカ　👥 CEO、CTO、DevHRマネージャ、プロダクトマネージャ
🎒 模造紙、カラーペン[Neuland]、オンラインホワイトボード[Miro]、iPad + Apple Pencil、PC

1　**参加者へ事前インタビュー**…企業やサービスのビジョンや熱い思いを持っている経営者、主幹メンバーにインタビューを実施

2　**当日の質問を準備**…事前にいくつか質問を準備し、ビジョンを描くために必要な足掛かり（業界の情勢や思いの背景など）を可視化。実施時間2時間30分・模造紙4枚

↓

3　**1枚絵にまとめる**…創業時の思いから目指す未来の姿が見えるよう、インタビューをもとにしたストーリーを1枚のビジュアルに落とし込んでいく。ラフ案の確認やフィードバックを数回繰り返す

事前インタビュー　キーになるインタビュー項目を話の速度に合わせて提示し、ビジョンの元になった開発ストーリーを引き出せるように視覚化

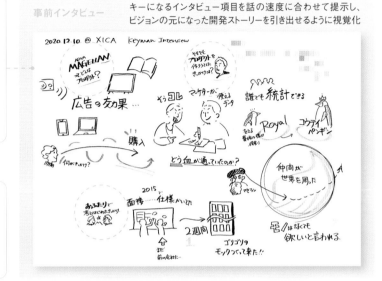

✏️ **ビジョンの手ごたえを描く**
過去から未来を俯瞰しながら見通せるとビジョンに手ごたえがもてる
この先具体的にどう行動を起こすか？のロードマップは別途制作。関係者のディスカッションをもとに半期ごとに刷新していく

💧 **反省点**
幹部メンバーがロジカルかつ情熱に溢れていて、シンプル化と熱量のバランスが難しかった。どうすればこの熱量が組織全体に伝わるか？を悩みながら描いた

ゴールの旗を掲げる
旗は目指すゴールを示し、企業がグローバル化する未来像を旗を立てる場所や飛行機のメタファで表現

課題を山登りに見立てる
今後3年でクリアしていく課題を山脈として示した。この山脈は同時に制作した3ヵ年計画の具体的なロードマップ内のメタファーで、ビジョンとロードマップのつながりを表す

前半はプロダクトの歴史を図示

97

Recorded by

小学校の教員とNPOの理事をしています。子どもの関係づくりにも、大人の関係づくりにも可視化やファシリテーションは必要不可欠なものだと思い、学校やその他のコミュニティで使用しています。

横浜市立小学校 教諭／NPO法人 EN Lab. 理事

石橋智晴

グラレコ歴／頻度

10年／1週間に2、3回

どんな立場で描いている?

ファシリテーターとして場のプロセスデザインをしたり、小学校教員として子どもたちや先生方が可視化による場づくりのマインドを持てるようにお手伝いをしたりしている

大人も子どもも当たり前に対話できる小学校づくり

子どもたちのやる気を描いて引き出す

小学校の教員になって1年目に取り組んだことが、子どもたち一人ひとりとの対話をグラフィックに描き起こし、それを1年間続けるということでした。以来、学校内の子どもや大人の未来への解像度を上げるために、教育現場でファシリテーションやグラフィックを活用し続けています。次第に、グラフィックは一人ひとりの目標設定を手助けしてくれる身近なアイテムになりました。例えば、授業に集中したいけどできないという子どもには、因果関係を表すループ図を描いて、自分のどの行動を変えると授業に集中できるかを一緒に考えたり、集中できるようになったらどんな未来が広がっているのかを聞き取りグラフィックに描き表したりしました。達成した目標の先に本当に望んでいることを明確化できれば、短い時間であっても子どもたちはしっかり自分と対話できます。

描く対話で職員室をイノベーション

教員として、いつも自分自身の中に、問いを持ち続けることを大事にしています。子どもたちがそれぞれの強みを生かしあいながら学びに向かっていくため、教員ができることは何か。対話が溢れる職員室をつくりたいと思ったのは、教員同士でそうした問題意識を共有し、お互いの取り組みを応援しあえる関係性を築きたいと思ったからです。学校の先生は常に時間に追われています。対話を通して関係性を構築する時間をもち、文化を育てることは簡単ではありません。そこで、まずは自分から周りの先生との関係性を変えていけるよう、インタビュープロジェクトを行いました(#1)。一対一で各先生の教育観や大切にしている信念、教員になった背景などを描きとめるというものです。グラフィックを介して、普段は知ることのない一面を知れたり、価値観は違えどわかりあえる部分が見つかったり、共に働くメンバーとして小さくても大切な時間を共有できました。

近すぎて話せない同僚教員との対話 ✎

横浜市立小学校 グラフィックコーチング

📅 2019年8月〜現在　📍横浜市立小学校　👥各回 教員1人　🖊 iPad、模造紙、付箋、カラーペン[プロッキー]

似顔絵は事前に描いておく

Tips

1 **フレームワークを決める**…このときは「氷山モデル*」を使った

✎ 基本色・強調色・補助色を決める

使う色は3色。ベースとなる色（基本＝黒）が決まったら、色相環から対になる色（強調＝緑、補助＝黄）を選ぶ

↓

2 **小見出しのフレームを揃える**…振り返る時代ごとにタイトルフレームをつけている

↓

3 **流れをつくる**…大きな矢印や線で話の流れ表していく。特に時系列で描きたい時には有効

↓

4 **振り返り**…「お話しされたことを振り返り、今どんなことを感じていますか？」など、話し手から感想を共有してもらう

対話した相手が、グラフィックされた意味を生成できる時間にもなる

描くより聴く、訊く

相手に問いながら進める場では、その瞬間ごとの共感や相手を理解する姿勢が大切

「氷山モデル*」を使う

事実、思考、感情、ニーズは色や字の大きさで描き分けるフレームワーク

* 氷山モデル：
システム思考のフレームワークの1つ。事実として可視化されていないその人の感情や行動パターンなどに目を向け全体像を捉えていく手法

FACT
FEELING
THOUGHT
NEEDS

相手の好きな色で可視化する

嫌いな色より好きな色のほうが親和性がでる。企業ミーティングでは企業ロゴの色などを用いることも多い

コロナ禍を乗り切る学校探究の旅路

横浜市立小学校 校内研究会

- 🗓 2020年6月　📍横浜市立小学校
- 👥 勤務校教職員30名程度
- 🖊 模造紙、ペン、iPad

校内研究を通して、対話を職員室に位置づけることを目的とした場。コロナ禍だからこそ自分たちの不安を共有し、共に前に進めることができるように話し合った研究会

✐ 事前の大まかなレイアウト決め

議論をスムーズに可視化できる。ファシリテーターと二人三脚の場合は、プロセスとレイアウトを関連づけるための事前打ち合わせも大切

立ち現れてきた問いは大きく描く！　　　行頭は揃える。箇条書き・番号をつけると見やすい

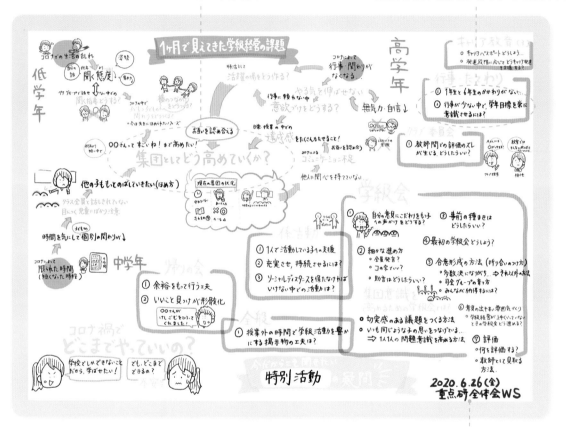

後日振り返ることができるように、必ず日付を入れる
（今回は職場なので入っていないが、場所も入れる）

Tips

「ループ図*1」で整理する

議論の起点は○で囲み、矢印を使って因果関係を表す

タイトルづけで話題分類

簡潔で見やすくなる。ただし言葉のパワーは落ちる傾向があるので、その場合には「集類*2」がおすすめ

✐ ・テーマや問いの練り直し

大事なテーマ・問いは持ち帰って1人で考えることも。その後該当する人と一緒に練り直し、入念につくりあげる

・テーマごとの色使い

2つの領域に分けているが、領域ごとに色の使い分けを統一する

---

*1 ループ図：
システム思考の代表的なツールの1つ。それぞれの要素がどのように影響を及ぼしているのかその因果関係を描き表すもの

*2 集類：
分類とは、要素を枠に当てはめる手法（りんご、トマト→赤い）。
集類は、要素から新たな枠を作っていく手法（りんご、トマト→人を元気にする食べ物）

教員の悩みや不安を改善策に変える

2020年から、研究主任としてワークショップ型の校内研究や教育現場に対話を根付かせる可視化の実践研究を行える立場になりました（#2）。これまでは、所属するNPOの一員として企業研修や合宿での取り組みをファシリテートすることが主だったため、勤務している学校では初めてのファシリテーターとしてのチャレンジでした。議論のテーマはコロナ禍における学級経営。同僚の先生たちには数人ずつに分かれてもらい、テーブルトークでコロナ禍での不安やそれを解消する対策を持ち寄り、模造紙に描き出してもらいました。最後は各テーブルの議論を全体成果として集約し、一枚のグラフィックにまとめました。このアウトプットは、全職員にデータ化して共有し、集約されたテーマを元に自分たちで納得できる解を生み出すという次のアクションにつなげました。

対話の学校づくりが生徒の学ぶ力に

#3は、定期的に発行している学級通信です。日々の子どもの学びをグラフィックにして、次の日に発行します。学級通信の目的は、子どもたちとの対話のきっかけづくりです。その日その時の"クラスの学びの種"を適したグラフィックで表現し、共有することを大切にしています。ワークショップや講演の場で綺麗に描かれて終わりというグラフィックに出くわすことは少なくありませんが、グラフィックは綺麗に描くことが目的ではありません。だれに向かって、何のために、どんなふうに描くのかを徹底的に問うことができていれば、走り書きでも価値はあります。教育現場のグラフィックやファシリテーションも、教師自身が問い続けて、実践につなげることが、まわりまわって大人と子どもの学ぶ力を高めるのだと考えます。

#3 子どもの学びを広げる学級通信づくり

小学1年生のクラスで定期発行している学級通信

📅 2017年4月〜　📍 横浜市立小学校　👥 担当学級の生徒29人
✏️ 描画アプリ[Procreate]、iPad + Apple pencil、PC

クラスのメンバーの中で起きたことを価値づけし、クラス全体に広げるためのツール　定期的に発行する

・いちばんの読み手を意識する

学級通信に関しては、基本は「共に時間を過ごしている子ども」向け。保護者の方には、伝わればいいなという期待をわずかに持っておく程度

・変に要約しない

参加者（ここでは生徒たち）の言葉は、なるべくそのまま描く。グラフィッカーの言葉にしてしまうと自分ごと感が薄れてしまう

Tips

「スケッチノート[*3]」形式での対話

グラフィック手法では「スケッチノート」に該当する。集団の中で描くリアルタイムの場づくりとは異なり、描き手のバイアスがかかることを積極的に肯定した手法

*3 スケッチノート：
グラフィックを用いて描くノートテイクのスキルのこと。テキストだけのノートテイクよりも記憶に残りやすい

7

教育・研究

Recorded by

新潟市を拠点に教育支援の事業を行っています。学校と地域・社会をつなぎ、リアルな学びをつくるプランニング、コーディネート、伴走支援を通して、豊かなキャリア教育の機会づくりに取り組んでいます。教員研修、授業運営、イベント企画なども。新潟の食と風土に魅了された、食いしん坊娘です。

特定非営利活動法人みらいず works 理事

角野仁美

グラレコ歴／頻度

8年（うち修行期4年、今も修行中！）／1カ月に数回程度（日常、会議、イベントなど）

どんな立場で描いている?

テーマを自分ごと化し、個々の学びを促す・みんなの探究につなげるファシリテーター／チームメンバーとして

中学・高校と地域社会を やわらかくつなぐメモ書き

世代を超えて豊かに学び合う地域社会へ

子どもたちが地域社会とつながって、自分らしく学ぶために何が必要か?という問いを軸に、小・中・高校教員のみなさんと日々の授業を考え、生徒たち、地域の方々と対話を重ねています。#1のような探究型の授業支援では、子どもも大人も分け隔てなく、全員の意見を聞き出して成果を紡ぐパワフルなプロセスが求められます。こうした学び合いの場に、どんな意見も尊重しあえるファシリテーション・グラフィックを活かしたいと取り組みはじめたのが約6年前。ちなみに私自身も高校3年生の時、「ファシリテーター型教師養成セミナー＠新潟」という場に、教員志望の学生として他県から参加し、あたたかく迎え入れてもらった経験があります。以来、まちづくりの先輩方が築いてきたファシリテーションの文化が根付く新潟で、対話の場を豊かにするお手伝いをしています。

人と場の可能性を信じ、漏らさずに描く

描き手の仕事は、どんな意見であっても、良い悪いや意味の有無はジャッジせず、すべて漏らさずに拾うことだと考えています。#2のように、忙しい先生方はなんとか時間を捻出して会議に参加してくれています。準備不足だからと申し訳なさそうな小さなつぶやきや遠慮がちに話された言葉はもちろん、まだ言葉にできてない想いまで全部受け止め、そこから生まれる場の可能性を「信じて待つ」ことも、大切にしている姿勢です。じっくり聴き・描きながら、聴き漏らしたことや気づいたことがあれば、遠慮せず場に問いかけ、全員で対話を深めます。そのためにも、話し合いの場に背を向けてひとりで模造紙とにらめっこするのではなく、話し手の表情や存在から発言の真意を汲み取り、スピーディに手を動かすことが大切です。

#1 生徒・教員・社会人が共に探究する関係づくり

「総合的な探究の時間」授業／課題解決型学習

🗓 2019年7月、12月　📍新発田中央高等学校

👥 1学年生徒240人／社会人ゲスト7人／教員10人

🖊 模造紙、カラーペン［プロッキー］、移動式ホワイトボード（体育館のため）

年間を通して取り組んだ課題解決型学習（地元企業が生徒に課題を提示し、それに対する解決策をプレゼンする）のオリエンテーション（7月）・リフレクション（12月）授業で、生徒を巻き込んだゲスト＆教員によるパネルディスカッションを行った

7月：企業6社と協働した、探究授業オリエンテーション時（企業担当者＆教員による、パネルディスカッション）

✎ **キーワードは強く描く**

何度も出てきたキーワードは強調する。リアルタイムで話の盛り上がりを、場と一緒に可視化する

‐‐ その後の学習の手がかりになるよう、固有名詞はしっかりと押さえる

0 **事前打ち合わせ**…生徒やほかの教員を巻き込みやすい場づくりについて相談。結果、教員にファシリテーターを務めてもらうことに。その後ファシリテーター役の先生に、問いの想定・可視化×ファシリテーションのポイントを共有

1 **話の構造化**…パネラーから語られた地域の魅力と課題を構造化していく

2 **最後のメッセージも描く**…パネルディスカッションは最後の一言も大切。これから始まる探究学習や、生徒に対する期待＆メッセージを残す

3 **後日の掲示**…グラレコ内容はその後半年間、学習を貫く問いとして学年廊下に掲示された

生徒の目に入るようにしたことで、出発点から学びの深まり・つながりを確認できた

Tips

チームづくりも事前準備のうち

地元企業のゲスト7人、学年団の教員の皆さんと、事前に2回の打ち合わせ＋飲み会を実施。この事例は丁寧な関係性づくりやビジョン共有が行える場だった

指差し会話で集中力キープ

グラフィックを見ながら場をつくると、生徒の集中力をキープしながら論点・現在地を確認でき、全体の議論を深めることができる

4 **未来・次につなぐ視点に光を当てる**…12月のリフレクション授業では、話していくなかで生まれてきた問いをキャッチし、次年度の学習テーマが浮かび上がるように工夫した

④

12月：半年間の探究授業の成果発表会後、「今回の探究を皆で振り返ろう」というタイトルで、会場の生徒も巻き込んだ、パネルディスカッション時（企業担当者＆教員は同じメンバー）

気軽なメモ書きで、みんなが前のめりに

教員研修、授業運営、イベント企画などといった場づくり支援を行う団体の一員として、同僚との打ち合わせは当たり前のように描きながら行います。加えて、教員や行政、NPO、子どもたちなどといった社外の方とミーティングする時でも、「一応この模造紙に描かせてもらいますね」「一緒に描きながら話しませんか」と紙とペンを持ち込むようになり

ました（#2）。場に可視化が加わると、最初は会議自体に乗り気でなかった方々も、いつの間にか描きとめられた言葉を指差しながら前のめりで発言し始めます。埋もれかけた言葉や議論が積み重なり、思わず心の中でガッツポーズをとってしまう瞬間です。描くことは「かしこまったこと」ではなく、話し合うことを楽しく、面白くするものとして、関係者の中に自然と溶け込むように位置づけています。

#2 教員同士の構想を共に表現・整理して形にする

次年度を含めた、3年間のキャリア教育・探究学習のカリキュラムについて、アイデア出しをして、次回会議で具体的に検討ができるよう、ポイントを確認した

年度末（次年度に向けた）授業カリキュラム検討会議

🗓 2019年3月11日など　📍新発田中央高等学校
👥 教頭、進路指導部長、新1学年主任、みらいず works 角野・小見
🖊 模造紙、カラーペン［プロッキー］

0 検討事項確認＆アジェンダ共有

1 ビジョン共有…3年間のキャリア教育・探究学習を見通す

2 アイデア発散…夏休みにできそうな活動、連携先（地域）を描き出す

3 ポイント確認…次に向けた要点をチェック

4 話し合ったことをもとにカリキュラム案のたたきを作成＆共有

Tips

問いかけ＆見通し・プロセスの明確化
先生方の頭の中にあるイメージを表現・整理し、行動を形にしていく作業に伴走する

考えは少しずつクリアにする
高校教員は忙しく、事前に会議資料を準備できないことが多い。その場で当人の頭の中にある考えを引き出しながら、つぶやきを可視化していく

文章＋グラフィックの写真を他教員への共有議事録に！
やりっぱなし（書きっぱなし）にしないで、すぐに文章に落とす

描く楽しさと可能性をみんなで共有する

#3のように、小・中学生向けにファシリテーションやグラフィックの授業をすることもあります。なかには、文字や図を描くことに苦手意識や抵抗感をもつ子もいます。だれでも最初は躊躇して当たり前。ところが子どもたちは柔軟で、仲間の描く姿を見て、自分なりの描き方をすぐに掴んでしまうのが面白く、私も学ばせてもらっています。同時に、学校現場で研究授業の協議会、学年会議など、さまざまな話し合いの場でグラフィックを活用します。特に研究授業は、授業者への改善点を一方的に伝えがちですが、グラフィックを使って共通する問いやポイントをあぶり出していくと、創造的な議論が生まれます。描くことで生まれるあたたかなコミュニケーションやひらめきの価値を、今後も学校現場からじわじわと共有する仲間を増やしていきたいです。

#3 描くって楽しい! 子どもたちの実践

「総合的な学習の時間」授業／ファシリテーション・グラフィックを学ぼう

- 📅 2018年11月14日、ほか1回　📍清水第六中学校 体育館
- 👥 中学2年生200人、大学生、社会人スタッフ5人
- 🖊 模造紙、カラーペン[プロッキー]、移動式ホワイトボード(体育館のため)

> 2日間でファシリテーションの基礎と、グラフィックのポイントを掴む授業を中学2年生対象に行った。11月の授業では、ゲスト&大学生の「ファシリとは?」という全体パネルディスカッション内容を、中学生全員に「ひとり1枚」グラフィックにチャレンジしてもらった

生徒に伝えた ファシリテーション・グラフィックのポイント を体現するように、意識して書いた

✏ 一次情報が学びを深める

導入として、ファシリテーター役・参加者役のゲストに、可視化にはどんな効果があるかを語り合ってもらった。実感のこもった言葉で関心を高めるのがねらい

1 トークテーマA／ファシリテーションとは?…「ファシリテーションとは?」というゲストのパネルディスカッションを可視化。同時に生徒にも1人1枚、手元でグラフィックを描いてもらった

【生徒作】

⬇

2 トークテーマB／なぜファシリテーションをやりたくなったの?

⬇

3 トークテーマC／もし中学生だったら、こんな風にファシリテーションを活かしたい!

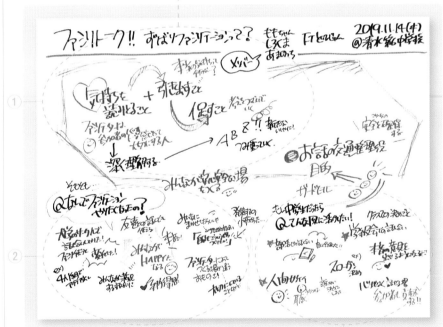

Tips

参加者にも描いてもらう

手を動かすことで実感が深まる。生徒同士で互いのグラフィックを見せ合い、多様な書き方・工夫ができることを肌で感じていた

✏ 体験するから興味わく

休憩時間も、ホワイトボードを囲んでポイントやコツを質問してくれる中学生がたくさんいた。自分が描いてみたことで、可視化の難しさや面白さに気づいてもらうことができた

Recorded by

個人事業でグラフィックファシリテーターをしつつ、平日はコミュニケーション支援の会社の新規事業部で修行（従事）しています。
小学2年生から意識的に始めた「描く」。自分自身の解釈や理解への不安がきっかけです。原動力は、相手や知らない世界の「わからなさ」とそれを「知る」こと。
好きが講じてビアソムリエの資格も取得しました！

グラフィックファシリテーター（個人事業）／ビアソムリエ

あるがゆう

グラレコ歴／頻度

5年／1週間に2〜5回

どんな立場で描いている？

その場の”仲間の一員（のつもり）”で描いています！「ともに」の気持ちで、記録（レコーダー）をしたり・発言をしたり・参加側になったり

市民に届けるプロセスが育む
"研究の相互理解"

地域と学問を横断しお互いの理解を促す

まちの暮らしと学術研究の間にある、認識や情報には大きな隔たりがあるように感じます。これらをいかにつなぎ、研究の成果を地域価値に変換していくか。近年盛んな域学連携の現場でも可視化が活用されています。

多面的な地域課題に寄り添うには、生態学や農村計画学、心理学など多分野の研究者が連携して多角的に研究成果を持ち寄る必要があります。#1のディスカッションでは"ある言葉（連環）"は、研究者の専門ごとにそれぞれの解釈があることがわかりました。可視化が共通言語に隠された「差異」をあぶり出したことで、逆にその違いを肯定しながら共通の大きなゴールを共有する土台ができました。分野ごとの言葉の定義を正確に捉え、研究者間で無理なく歩み寄れる"共通のゴール"を設定する領域横断の関係性づくりに、グラフィックはおおいに役立ちます。

浮かび上がった接点はすかさず描こう

同じく#1では、議論を時系列に描く（N次方向など）のではなく、議論のゴールを想像しながら表現するよう意識しました。描くうえで注力したことは大きく2つ。

1）**人の感情や状態を表情メインに描く**
2）**関係（イコールなのか包含なのか、類似意見のグルーピングなど）を捉え線を引いたり囲ったりする**

重要なのは「すかさず描く」こと。リアルタイムに可視化された言葉（意見）は、話し手同士に共通点や差異を意識させ、場に歩み寄りを促します。自分の主張を全体像の中で把握できると、「やっぱり、これらが伝わることがゴールですよね！」と異分野の成果も内包したスケールで共通のゴールを見出すことができるのです。

#1 視点や言葉を交差させ、見えている世界を重ねる

"シンポジウムの目的やゴールを噛み砕く"(初回)

📅 2020年1月　📍京都大学 森里海連環学社会連携グループ　👥 6人(研究者)

✏️ 模造紙、カラーペン[プロッキー]、養生テープ、(糖分摂取のためのマイ菓子!)

「どんなシンポジウムにしたいのか」
ヒアリングをしながら描きました。
始めは私に向けた説明をいただい
てましたが、後半は全員で相互
理解をする議論の場に発展

1 目的を整理

↓

2 参加者イメージを共有

↓

3 ゴールイメージを具体化する

 タイトルは「リボン」で目立たせる

重要な共通目的(≒共通意思)は目立つよ
うにアイコン化。ゴールを意識して話すことが
できると、参加者の思考も横道にそれにくい

Ⓐ 描き手目線で質問
「『連環』って普段使わない言葉ですけど、どんな意味なんですか?」

Ⓑ 類似点を話し手に確認しながら線(黄色)で結ぶ
「こことここも連環(つながり)がありますか?」

Ⓒ 指差しながら話すメンバー(研究者)から気づきが共有される
「"空間スケール"はこれ全体なんですよね」
→ 指差し部分にすぐ赤点線を引く

Ⓓ やりとりを見ていた研究者から、共通点が意見される
「やっぱり!ほら、ここがLINK(=連環)ですよね!」

初回打ち合わせの様子

 Tips

❶ 囲み線で話題を区切る

ある議題が一区切りついたら、その場で囲み線を描いて次の議題
へ移ることを場に確認する

類似や包含関係を可視化する
意見(言葉)を構造化することで、本人
たちが共通認識を導き出す助けになる

💧 反省点

• 掘り下げ型のディスカッションは、後半に思いが溢れ出てきやすい。
もう少し余白を意識しておけば、大きく描き表せたな...!

• 描き出す前に「描いたものとの距離感・余白」を意識しないと、反
省(a)部分のように、前の話題とスペースが重なって見にくくなっ
てしまうよ...

スピーディに合意を導くプチ描画法！

限られた時間で結論を導くには、できるだけみんなの発言を取りこぼさずスピーディに描写するスキルが求められます。話し手も自分の意見が尊重されている安心感を得られ「これでいこう！」と無理なく合意できる。そんな場づくりのために手早く描き取るコツは2つ。

1）人やモノの細かい描写は不要。アイコン＋固有名詞を描けばそう見える！（例：おばあちゃん、研究者など）

2）意味や要素の整理は「色」で仕分ける！（#1〜3参照）

こうした合意形成のビジュアライズは、あくまでその場にいる人がわかればいいと割り切ることがとっても大切。第三者にはわからなくても、プロジェクトを円滑に進めるという内部目的が達成されれば大成功！ちなみに、#2のグラフィックは成果報告冊子にそのまま掲載されることになりましたが「結果的に第三者にわかりやすくなっていたら儲けもの」くらいの心構えで十分なのです。

#2　多分野の研究成果から一体感が生まれる

メンバー座談会
"これまでの研究を振り返り、全体の関係性を眺める"

📅 2020年2月　📍京都大学　👥 7人（研究者）

🖊 模造紙、カラーペン［プロッキー］、養生テープ、（糖分摂取のためのマイ菓子！）

チームで実施してきた複数の活動を共有しあう場の「グラレコ」。活動のステップ「気づき」「自分ごと」「つながる」に対して、自分たちはこれまで何ができたのか、の問い直しにつながる一枚に

1　3つのキーワードの色を決める…3ステップのキーワードは、あらかじめ色を決めておく。関連する話題がいつ出てきても、同じ色をのせれば"同じ情報"という意味付けができる

↓

2　キーワードを起点に話を聞く…話し手の実践談を3つのキーワードで切り取りながら聞く。研究者の力強い意見・考えは色を変えて強調

↓

3　「ステップ≒積み重なり」なので下方向に書き重ねる

Tips

恐れず線でつないでみる
その言葉や絵がどのキーワードに紐づいているのかが一目でわかるように、線で結ぶ

人型イラストは「表情」が大事
感情を表現するコツは「まゆ毛」にあり！まゆ毛をひと描きするだけでグッと感情が豊かになります。人型イラストにまゆ毛を書き添えるだけなので、細かい記録がとれないアップテンポな場でも大活躍。気持ちのニュアンスが簡単に表現できます

💧 反省点　なんのグラレコかわかるように活動名を記載しておけばよかったな…

「わかったフリ」はしない。描き手の役割

理解を育む場づくりにおいて最も危険なのは、「わかったフリ」で場の議論が上滑りしてしまうことです。そんな「わかったフリ」を残さず「わかるまで可視化」できたとき、描き手として一番手ごたえを感じます。先に触れた"分野間で異なる言葉の解釈例"のように、言語だけのコミュニケーションにはたくさんの不確実性が存在します。ましてや学術研究の価値を、地域住民が理解できる言葉に翻訳して伝えるのは至難の業。専門用語の通じる研究の日常を離れ、「そうじゃなくてこうかな」と議論を軌道修正したり「こっちはどうなの?」と論点を広げたり。グラフィックを介することで遠慮なく他者と意見を交わせれば、気づくと納得のいく共通言語が見つかります。言語ではたどり着けなかった次元で、他者への理解を深めることができる。なにより描き手としての私自身が、描き起こすことを習慣化して気づいた可視化の最大の魅力です。

#3 **意見を"瞬時に"掛け合わせてつながるストーリー** 🖊

メンバー会議 "研究の集大成を言語化する"

📅 2020年3月　📍京都大学　👥 10人程度
📝 模造紙、カラーペン[プロッキー]、養生テープ、(糖分摂取のためのマイ菓子!)

「THE オンタイム」に描き上げたグラレコ。これまでの研究活動の掘り下げのなかで、議論の熱量が加速した場面。成果報告冊子のタイトルでもある「シチズンサイエンス」。この言葉をメンバー全員で捉え直す議論の叩き台としてグラレコが活用された

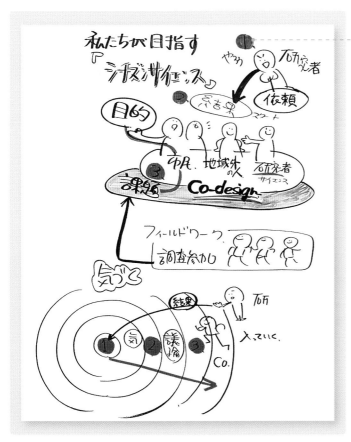

Tips

順序を示す数字を効果的に使う

表情入り人型イラストの描き分けができれば、細かい記録がとれないアップテンポな場でも、エピソードのシーンを描きとめられる。感情や状態を描き添えるだけであとから思い出しやすい

議論に合わせて即座に可視化

イメージがひらめいてきて、会話の速度が爆上がり!したときも、乗り遅れないよう、描き手も持つペンをスピードアップさせることが大切。「この議論に貢献する!」ことが目的なので、ちょっとくらい画があらくなることは気にしない!

・前後関係を捉えて線を引いたり囲ったりする

・絵はアイコン+固有名詞で早描き

議論に合わせて即座に可視化することが大切。人やモノのイラストに細かい描写が不要。アイコン+固有名詞を描けばそう見える

・人の集団を囲むと=「仲間」という関係性で見ることができる

🔥 **反省点**　字が汚い! 話のスピードが伝わりますでしょうか...(笑)

Recorded
by

京都市内の山科・醍醐エリアで子どもの育つ環境づくりに取り組んでいます。子どもとの活動づくり、ボランティアコーディネート、広報、研修の企画などの業務が中心です。また学校との連携事業、地域行事への参加もしています。

特定非営利活動法人山科醍醐こどものひろば

三宅正太

グラレコ歴／頻度

5年目（2017年〜）／1週間に3、4回

どんな立場で描いている?

法人内では子どもとの活動現場で、また法人外では福祉領域を中心に打ち合わせや会議、イベントのレコーダーとして描いて整理

子どもと大人が
言葉の限界を超えて
歩み寄る対話の場

緊張をほぐす、混乱をへらす、未来に活かす

福祉の場で子どもや支援者である大人たちと一緒に、可視化を用いた対話の場づくり（#3／ケース会議）に日々チャレンジしています。子どもにとって、自分の気持ちを言葉で説明することは想像以上にハードルが高いものです。現状、だれかに伝えたい気持ちがあったとしても口だけではうまく説明しきれず、関係性を壊さないために気を遣って、結果として気持ちに蓋をせざるを得ない状況を目の当たりにしてきました。たとえ信頼できる人でも本当の気持ちを表現することは相当な勇気が必要なのかもしれません。だからこそ、言葉だけで頑張らなくても、紙を挟むだけで少しでも緊張がほぐれたり、混乱が減らせたり、気持ちが整理できるこのグラフィックに可能性を感じています。

言葉に頼らないコミュニケーション

場に参加する人たちがどんな違和感や思いを抱えているかを意識しながら、可視化のツールや言葉、ふるまいを選びます。例えばいつも遊んでくれるお兄さんとして、落書きやお絵描きといった遊びのなかで本人の気持ちを表現してもらう時もあれば、相談したいという時にはあえてペンも紙も使わず話を聞いたり、相談内容によってはグラフィックで記録する時もあります。同じ子どもでもその日の気分や体調、話したいことによって、可視化のツールを変えていきます。#1は中学生と高校受験の志望動機を一緒に考えたグラフィックです。本人にとっていきなり原稿用紙に気持ちを描くのは難しいとのことで、グラフィックのエッセンスを用いて、線や色を使って今の気持ちを確認してから、日々の日記の中から将来への思いや願いを一緒に描いていきました。

いきなり原稿用紙から取り組まない志望動機 ✎

子どもの学習支援の現場、志望動機の作文のサポート

📅 2018年12月〜　📍地域のコミュニティカフェのカフェスペース
👥 中学3年生と職員の2人　🖊 B5ルーズリーフ、ボールペン

子どもの学習支援の現場　週1回、2時間のペースで、来ている中学生のその日のやりたいこと（宿題であれば宿題、何もしたくなければゆっくりした時間）に合わせて子どもと活動の時間をつくる現場　そのなかで取り上げる12月は志望校の志望動機の作文づくりに注力した

※実際の事例を一部再現

日付	天気	充実度	☺	理由（よかったこと）
12/3		8	☺	・家族で外食した ・ほしかったCD買えた！
12/4		4	😐	・外によって散歩した
12/5		2	😞	・休んでた
12/6		5	☺	・ちょっと勉強できた ・平和だった
12/7		4	😐	・学校に書類取りに行った
12/8		6	☺	・朝はやく起きた ・友達と映画見に行ってきた
12/9		6	☺	・買いものに行った ・からあげをお母さんに作った

0 **悩みを整理する**…「志望動機の書き方がわからない。何を書いたらいいかわからない」という悩みを、グラフィッカーとして可視化・整理する対話から始めた

↓

1 **ワークシートづくり**…まずは「自分の気持ちを表す練習」として、毎日の気持ちやその日に起きたことを書くワークシートをやってみることに

↓

2 **方向性を見つける**…「気持ちの変化日記」を毎日つけることで本人の過ごしたい日常から、志望動機を見つけられるのではという結論に

↓

3 **一緒に練習する**…気持ちや考えをいきなり文字にするのが苦手だと話してくれていたので、事前にワークシートの「気持ち（＝表情）」の描き方を練習した

✐ **毎日描き続けられるようシンプルに**
ワークシートは、本人が描きたくなる、かつ毎日描き続けられる、負担の少ない絵と文字の量で作成

↓

4 **志望動機に進化させる**…1週間後、ワークシートをもとに志望動機の作成に必要な「高校で取り組みたいこと」「中学校で努力したこと」「卒業後の夢や希望」を別の表現に変えながら、話を聞いた

✐ **あまり描かない**
グラフィックで介入してサポートするよりも、本人が気持ちを表現できるように、できるだけ描かないことからスタートした

Tips

その場で答えを出そうとしない
1回の限られた時間では、志望に対する率直な気持ちに本人もグラフィッカーも探ることができないので、時間をかけて一緒に探求する場づくりを設定した

身近な道具を使う
使った道具は中学生が持ってきたシャープペンやマジック、蛍光マーカーのみで描いた

💧 **反省点**
・もう少しカタくないワークシートを今ならつくれるかも
・作文についてもっと理解と知識を深めたい

大学生ボランティアの振り返り会

🗓 2020年8月〜　📍こどものひろば事務所の一室　👥子どもの現場に入っている大学生世代のボランティア8人、職員2人の10人

🖊 クラフトロール紙、カラーペン［プロッキー］、付箋、A4用紙、プロジェクター、PC［投影＆BGM用］、マスキングテープ

※実際の事例を一部再現

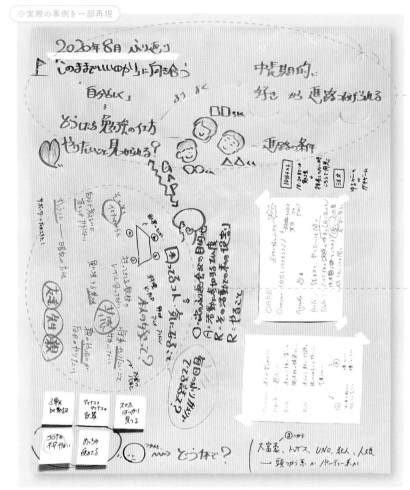

0 事前準備…机の配置や使う道具の整理など、できるだけ本人たちが話しやすい形に、場を整える

いろんな書き込みができるスペースをつくっておく（A4コピー用紙、付箋、クラフト紙、パソコンで画面共有など）

1 議題を整理…今日の集まりの趣旨・目的・ゴールを描く

✏ ・紙に描くという抵抗感をやわらげる

始まった最初の時間で、一旦「紙に今の気持ちを描く」という時間を設けて、描くハードルを下げる

・あえてきれいに描かない。絵を多用しない

2 各活動ごとの振り返り…毎回の活動で課題として議論されること、子どもの困りごと、気になることなどを共有する

3 各自記入しながら現状分析

✏ 臨機応変な描きやすい場つくり

ワールド・カフェのようにメンバーのシャッフルができることに気づき、急遽座席移動の場面をつくった

4 目標を設定する…話し合ったことをもとに、これからの活動に対する目標をつくる

Tips

全員で描く場をサポートする
グラフィッカーがあまり描かない場づくりもある。描き出すことで、自ら整理できるよう、場のサポート役に徹し、終始描くハードルを下げるよう動いた

質問が議論の背中を押す
煮詰まっているグループには、紙に描かれている言葉や関係性を参考にしながら、質問しながら問いを立てることをサポート

プロセスは自由に、共有は定型で
クラフト紙に描くグループ、パソコンでドキュメント化するグループと、プロセスは自由。最後の共有タイムは一人ずつ、その日収穫した成果をA4用紙1枚にまとめてもらった

FREE STYLE

BACKSTROKE

💧 **反 省 点**

描かれている媒体が多いので、後日見返すときの整理が大変だった

慣れや型にとらわれず失敗も重ねる

例えば、置かれている現状のしんどさや内に秘めた願いを箇条書きで羅列されるより、イラストで間接的に表現してもらえるほうが安心だという人もいれば、1枚の模造紙に要約されることでかえって混乱する人もいます。イラストと文字の比率や、配置、流れのつくり方などその場に合わせてどう描き方を変化させるかを意識しています。グラフィックの活用に関しては当事者研究でのホワイトボードの使い方や、学校で使われる板書の手法など、これまでの福祉・教育現場のノウハウを参考にしてきました。#2は、現場ボランティアさんとの定例の振り返りでグラフィックを活用した様子です。グラフィック面だけでなく精神医療の現場で使われるプログラムなどの場やコミュニティづくりの実践も勉強させてもらいながら、本当に場に必要な可視化ができるかの試行錯誤を重ねています。

描いてほしくないものの重さを感じる

対話の場では常に"本人が描いてほしくないもの"はなんだろうということに細心の注意を払っています。描かれることで逆に傷つけてしまう可能性が少しでもあるなら、一旦描くことを保留します。だれにも本当は言えなかった、言いたくない、あるいはこの場で言語化する気になれない。そんな気持ちを目の前にした時に、果たして紙の上に可視化することが正解なのか悩みます。その場と人にどう寄り添うべきか、むしろグラフィッカー以外の立場や役割を模索します。文字で書くのは難しいけど線で気持ちを描くことはできる、ペンでは描きたくないけどキーボードであれば、スマートフォンのチャットであれば、模造紙ではなくて付箋だったら、シールを貼る方が……など、本人が表現しやすいツールを一緒に探そうと意識してます。少しでもその場にいる人たちが安心して場に参加できるようになればと思います。

#3 日常の延長線上で整理して議論を持ち帰る

> 障害をもつ親子の支援について、関係機関の担当者が集まる定例のケース会議。当事者の親子の支援に関わる専門職の支援者が、定期的に情報共有、意見交換を通して、支援の方向性を決める会議

ケース会議

📅 2019年12月　📍社会福祉法人施設の和室　👥保護者、行政職員、学校教員、法人職員、支援センター職員で10人ほど
🖊️模造紙、カラーペン［プロッキー］、マスキングテープ

※実際の事例を一部再現

1. **議題の確認＆自己紹介**…今日のこの会の趣旨・目的を確認しながら自己紹介。自己紹介は丁寧に。話しすぎず、話さなさすぎず

   ↓

2. **テーマごとに課題を探る**…その日話す内容や「今、何を話しているか」がわかりやすいよう、議題は色付けして強調しておく

   ↓

3. **テーマごとに対話**…保護者さんの語りを聞いたあと、それに対して関係機関の応答を紐づけていく

   ↓

4. **今後の協力体制を可視化する**…これからの改善の道筋、協力体制などは、未来をイメージしやすいようにイラスト化

Tips

描く前の準備を丁寧に
グラフィッカーとして場に入っているが、多くの人にとっては「だれ?」と違和感。安心して一緒に話せるように、「描く」以外のところで準備と確認を丁寧に行う

議論の邪魔をしていないか気を配る
話し手（今回は保護者さん）にとって、グラフィックが話を遮る原因になっていないか、常に意識しながら描く

描き手の判断を盛り込まない
話を受け止めるために、なるべく言葉をそのまま描く。丁寧に図化することより、丁寧に言葉を拾うことを意識した

Recorded by

普段は京都のお茶屋さんの企画・PRの仕事をしながら、社外活動として手話エンターテイメント発信団oioiに所属。oioiでは裏方スタッフとして、メンバーの会議やワークショップの運営のサポートをしています。

一般社団法人手話エンターテイメント発信団oioi
樋口菜美香

グラレコ歴／頻度

約3年／1カ月に1回

どんな立場で描いている?

1. 所属団体の会議の場で、議事録係としてグラフィックを描く
2. イベントや企業研修のグループワークなどで描く

きこえる人と
きこえない人が集う
会議のデザイン

だれもが議論を理解できる補助ツール

手話エンターテイメント発信団oioi（以下、oioi）は、手話エンターテイメントを通して、きこえる人ときこえない人の間にある心のバリアをぶっ壊し、お互いがおもしろがれる社会を目指して活動しています。月一回程実施する定例会は、日頃から手話パフォーマンスを披露している耳のきこえないメンバーと共に、手話と言葉でノリツッコミも交えながら（笑）進めています。現在はコロナの影響で対面実施からオンラインに。もちろん会議はできるのですが、「画面が小さいと手話が見えづらい」「通信環境が悪いと、だれが何の話をしているのか読み取るのに時間がかかる」といった弊害も生じています。そこで、Jamboard(p.130)を使用し、リアルタイムのグラレコで会議を記録することに。事前にリンクを共有し、補足情報の1つとして活用しています。

話し合いへの参加を促すアシスト役

きこえない人たちは、補聴器をしていてもすべての音を聞きとれるわけではありません。会議でも相手の口の動きを読み取り、話されていることを想像しながら、内容を掴んでいるという人も多いそうです。とはいえ、特に手話がないと得られる情報が減ってしまい、想像した話の内容と実際が違うこともあるそう。筆談やノートテイクなど、きこえない人の情報サポートは文字ベースのものがよく使われています。もちろん有効な方法なのですが、会話が早く話題の転換が多い会議の場では「全体を読まないと内容が理解できない」「文字を読んでいる間に話が進み、発言する機会を逃してしまう」といったことも。一方、グラフィックは情報が視覚的にまとまっているので、1）話の内容が掴みやすい 2）瞬時に自分の想像とのすり合わせができる 3）結果、話し合いに合流しやすくなる、といった効果を発揮します。

oioiイベントの様子（コロナ前）

oioi稽古風景（コロナ前）

oioiオンライン稽古の様子

#1 ぱっと見て掴みやすい共通イメージを創る

oioiメンバーの定例会議。今回はoioiの定番パフォーマンス「手話体操」の団体内ライセンス化に向けて、表現方法の明文化、ブラッシュアップ

oioiパフォーマー会議

📅 2020年7月　📍オンライン／Zoom　👥 oioiメンバー6、7人程度（きこえる人、きこえない人が参加）
🖊 オンラインホワイトボード［Jamboard］、iPad + Apple pencil

事前準備…タイトルと議題・会議内容を事前に描いてスタンバイ　　会議の議題や内容を最初に描いて、どんな話をするか共通認識をもって参加できるようにする

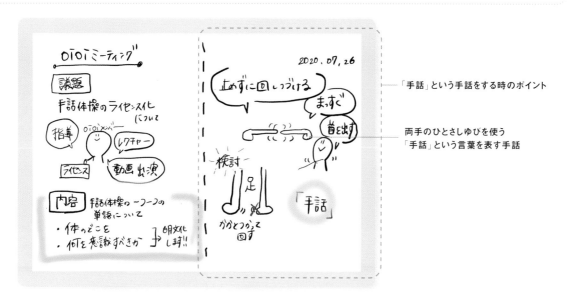

「手話」という手話をする時のポイント

両手のひとさしゆびを使う
「手話」という言葉を表す手話

・会議の進行にあわせて、左から右へ、基本横書きで描く

・そのままに描く
参加者の表情や、出てきた言葉（例：「ハイッ」「ムンクの表情」）などは、なるべくそのまま描く

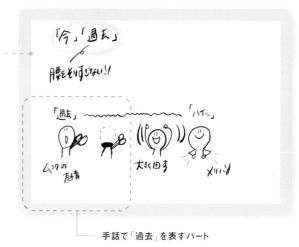

手話で「過去」を表すパート

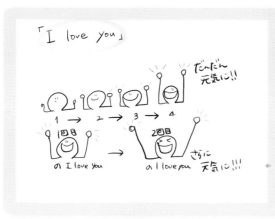

手話体操で「I Love You」と手話で表す際の表現ポイント

Tips

段階的な変化や比較を絵にする
伝えたい情報は文字より絵のほうが正確に伝わることも。ここでは、手話体操でおさえておきたい動きのポイントをグラフィックでわかりやすく描いた（例：だんだん元気に、腕を少しずつ上に上げていく）

それいいやん♪な表情や手話を描く

手話は手の動きだけでなく、視線や表情、空間やジェスチャーも用いながら表す言語です。そんな手話を使うメンバーたちの会議は、体を動かしたり、歌ったり、時にはイジリ合ったり（笑）と表現力たっぷりな身振り手振りが加わったコミュニケーションで溢れています。そんな会議のグラフィックなので、できる

限りありのままの表情やジェスチャーの躍動感を描いて、理解と対話が促進するように心がけています。#1は、『手話体操』というパフォーマンスをテーマにした会議で、体操のリズムや表現をグラフィックにしました。グラフィックを描くことは身振り手振りと同じコミュニケーションだと思っていて、「こう理解したよ！」とメンバーに返していくことも、私なりの表現方法の1つです。

#2 話の理解を促すキーワードと絵の効果

今回の会議内容は「手話をさらに広げていくためのアイデアブレスト」。「手話×○○」のコラボや講座企画などのアイデアを話し合う

oioi パフォーマー会議

- 2020年8月 ● オンライン／Zoom
- oioiメンバー6、7人程度（きこえる人、きこえない人が参加）
- オンラインホワイトボード［Jamboard］、iPad ＋ Apple pencil

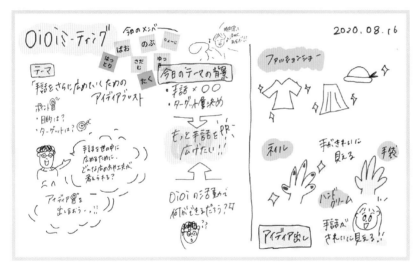

事前準備…テーマを事前に描いてスタンバイ

- 会議の進行にあわせて、左から右へ、基本横書きで描く

- 手話表現も交えて、グラフィックに描く

  ex.

Tips

オンラインでも描き込み式で会議がスタートしたタイミングで各自付箋で名前を描いて貼ってもらい、参加意欲向上の一助に

反省点

もう少し具体的なシチュエーションをグラフィックで描けるとよかった（空のコンテンツはスカイダイビング、ネイルの話はお店の雰囲気など）

イメージが伝わりやすい議事録にも

会議で描くグラフィックは、当日参加できなかった人へ共有する議事録代わりにも。#1のようなパフォーマンスに関する話し合いも多いので、文字だけでなくグラフィックでも記録をする方が、読み直した時にも、会議に参加していなかった人が読む時にも、イメージが伝わりやすくなります。今後は議事録で終わらず、後日付箋やテキストで感想や追加の意見を集めたりするなど、メンバーの感性やアイデアを溜めていく場所として、さまざまな活用方法も考えていけたらと思っています。

#3 表情や会話をそのまま描いて残すoioiらしさ

前回の会議に続き内容は「手話をさらに広げていくためのアイデアブレスト」。「手話×○○」のコラボや講座企画などのアイデアを話し合う

oioiパフォーマー会議

📅 2020年8月　📍 オンライン／Zoom　👥 oioiメンバー6、7人程度（きこえる人、きこえない人が参加）
🖊 オンラインホワイトボード［Jamboard］、iPad + Apple pencil

事前準備…テーマ・ゴール・事前準備を前もって描いてスタンバイ

・会議の進行にあわせて、左から右へ、基本横書きで描く

・話された言葉をそのままに残す

ex.

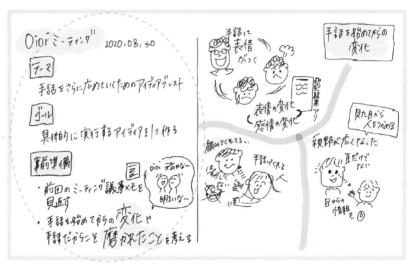

Tips

議題のポイントを事前に示す
事前のメモでも大事なポイントを強調しておくことで、どんな起点・視点から会議がスタートするのかがわかりやすくなる

議論の創造力を高める
身ぶり手ぶりを描くと、グラレコを見た人が実際に手を動かしてみたり、そのシーンを想像しやすくなることがあり、議論の納得感や別のアイデアが生まれるきっかけになることがある

💧 反省点
もう少し色を付けて、パッとみてワクワクする感じにできたらよかった

ぱっと見てわかりやすくするために、話の内容やアイデアごとに区切り線を描いてひとかたまりにする

だれもが当事者として
描く未来を創りたい

Recorded by

ファシリテーター、グラフィッカーとして活動する一方、京都・伏見にあるコワーキング・スペース「コクリエ・ラボ」を運営しています。子宮頸がん、下肢リンパ浮腫、そして発達障害の当事者であることが、私のファシリテーター、グラフィッカーとしてのあり方に大きく影響しています。現在、同志社大学総合政策科学研究科に在籍し、ピアカウンセリングにおけるグラフィック・ファシリテーションの可能性について研究しています。

株式会社オーティサイト コクリエ事業部(コクリエ・ラボ)

奥野美里

余白が問いを生み、不完全さが対話を促す

私の原点は、発達凸凹(発達障害)に関心のある人が立場を手放して対話する場、One day cafe. kyoto(#1)。共に共同代表を務める出村さよや仲間たちと、常に対話しながら、描くことでこのカオスで優しい場を創り上げてきました。前半のゲストトークは、後半のOST[(p.18)]を深めるイントロダクション。グラレコはほぼ一色で余白を多めに描いておき、トーク後に参加者2、3人ずつで対話しながら描き込んでもらうことで、自分の心の中を覗き込みながら話す、聞く、考えるというループのスイッチをオンにします。重要なのは、完成形に見えないこと。不完全だからこそ、描かれた言葉や絵、余白が問いになり、対話が生まれ、深まり、参加者の手で描き込まれた思考の地図となっていきます。

グラレコ歴／頻度

約5年／1週間に2、3回

どんな立場で描いている?

研修やワークショップ、まちづくりの現場でのファシリテーションや、グループインタビューのモデレーター、気持ちや思考の整理を手伝うインタビュアーとして描いている。一方で、このスキルとマインドを伝える講座もしている

#1 対話を重ねる
グループダイナミクスの土台

発達凸凹(発達障害/グレー)の当事者、支援者、研究者、その他発達凸凹に関心のある人が、それぞれの肩書を手放して対等に対話する場。グラフィック・ファシリテーションとOSTを活用しているのが特徴

One day cafe. Kyoto ～発達障害の?を語るカフェ～

📅 2020年11月 　📍コクリエ・ラボ 　👥 発達凸凹当事者および発達凸凹に関心のある人／リアル10人・オンライン6人 　📋 模造紙、カラーペン[プロッキー]、パンパステル、A4用紙、オンライン会議アプリ[Zoom]

傾聴を証明し、信頼関係を育む

私の講座や研修では、ペアで話を描き合う体験の後、自分が話し手だった時に感じたことを共有してもらいます。「ちゃんと聞いてくれてうれしかった」「安心して話せた」、なかには「傾聴のめっちゃすごいやつ!」と言った方も。自身が感じた安心感や満足感が、描く勇気につながっていくからです。発達障害児の保護者や支援者向けの見える化を応用した対話の講座(#2)では、言葉だけではうまく伝わらない段取りや感情、強弱などのニュアンスを絵にして説明したり、お子さんの話を聞きながら描くことをお伝えしています。「ピアノの弾む感覚を伝えられた」「初めてちゃんと話を聞いてくれたと言われた」。そんな感想をいただきました。

---

① **とにかく早描き**…まずは黒一色で話のリズムに合わせて速さ重視で描く

② **参加者と描き込み**…ゲストトークをきっかけに対話しながら全体にシェアしたい感想や気づき、思いを描き込んでいく

③ **テーマごとに深堀り**…ゲストトークを受けてのOST(オープンスペーステクノロジー)。今、このメンバーで話したいテーマを挙げ、テーマごとに集まって話す。その時には、みんながペンを持って見える化しながら話していく

④ **気づきの連鎖へ**…描き込まれた対話の内容を全体でシェアするなかで、さらに生まれた声を描き込み、グループダイナミクスによる気づきの連鎖につなげていく

色ペンで描き込まれた文字や線は、参加者自身が対話の中のエッセンスを描き込んだもの

Tips
付箋でつくる「話しやすさ」
ゲストが話しながら迷子にならないようにトピックスを大きな付箋に描いて貼っておく

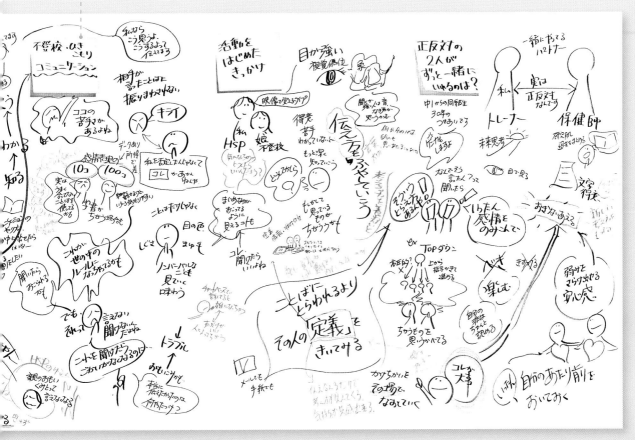

#2 発達凸凹ちゃんとわかりあうための対話

一般社団法人チャレンジドLIFE主催 グラフィック・ダイアローグ入門講座

🗓 2019年11月　📍 ゆめりあうじ　👥 発達障害児の保護者、関係者／24人
🖊 スケッチブック、カラーペン

発達障害児に関わる大人が、発達障害児とのコミュニケーション（＝対話）の手段としてグラフィック・ダイアローグ（グラフィック・ファシリテーション）を学ぶ。喜怒哀楽を描いた表情スケールも作成

パターンA

① **描いて伝える**…伝えたいことを漫画風のイラストや図解に変換して描き、指し示しながら伝える。講座では絵文字や顔文字を参考に顔を描く練習から始める

✎ **イラストは凝らずにさらっと描く**

イメージを共有できる程度の簡単なイラストで十分伝わる

パターンB

① **聴いて描く**…子どもの話を聴きながら、イラストと文字で表現。描くために自然に傾聴ができ、さらに的確な問いかけができるように

② **描いたメモから対話が始まる**…パターンAB 2つの描くを重ねて子どもとの対話が拡がる。子どもから初めてちゃんと話を聴いてくれたと言われた保護者さんも

Tips

指を差して使える表情スケールをつくる

発達障害をもっている子どもは、表情が読み取りにくい、感情がわかりにくいというケースが多く、気持ちを代弁してくれる表情スケールが便利

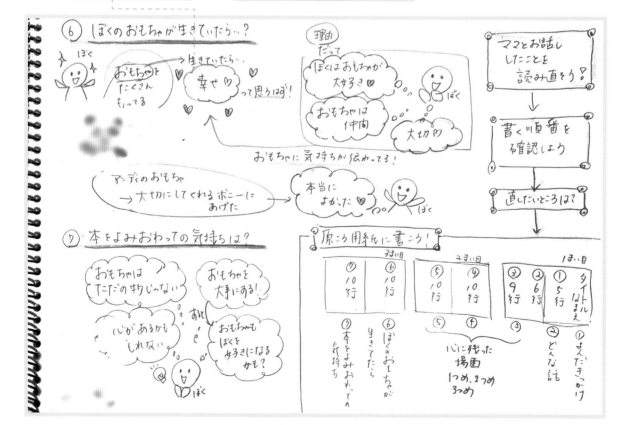

発達障害のお子さんと保護者の方の読書感想文を書くための対話ノート

答えを急がず補助線を引いて待つ

最近、一対一で見える化を手伝う機会が増え、だからこそその難しさを実感するようになりました。描き手は、話し手自身が感情に向き合い、考えることをナビゲートする存在。先回りして正解らしきものを口にすることは、話し手を思考停止に陥れ、「感じ、気づき、考える機会を奪う」ことになります。熱を感じたところは大きく、モヤモヤはモヤモヤと、余白を広く取りながら描く。言葉を変えない、まとめない。抽出することで受け止める。沈黙を恐れない。気づきは語らず、補助線にとどめる。話し手がそれぞれに意味を見つけて気づいていく。複数の人がいれば、気づきの連鎖によって場が動く。そんな瞬間こそ、可視化の醍醐味かもしれません。

*1 ピアカウンセリング：病気や障害など同じ課題を持つ当事者同士（仲間＝ピア）によるカウンセリング。同じような体験を持っているという安心感がベースにある。

*2 ナラティブセラピー：社会構成主義の影響を受けて発展した、患者の「語り」に注目した心理療法。ここでは、その手法の1つ「リフレクティング・プロセス」を組み込んでいる。

だれも取り残さない民主主義のツール

私は今、グラフィック・ファシリテーションをピアカウンセリング*1に応用できないか、大学院で研究を進めています（#3）。当事者性と専門性のジレンマに陥りがちなこの分野で、当事者性を保ったまま専門性に代わる枠組みとして導入できるのではと考え、ナラティブセラピー*2の手法も織り交ぜながらノウハウを構築しています。日本人は議論も対話も苦手な人が多いです。意見と人格の分離が難しく、意見に反対されると人格否定されたような気持ちになってしまう。しかし、意見を模造紙やホワイトボードなどに物理的に外在化すれば、議論や対話の俎上に載せることができるようになります。
「生きづらさ」を抱えた痛みを体感している人々がこのツールを持つことで、お互いの背景や思いを受け止め合う土壌が育まれ、正解ではなく納得解へとつながる成熟した民主主義の社会への扉が拓かれていく、そう信じています。

#3 当事者性と専門性をグラフィックでつなぐ

働く世代のがんサバイバーによるソーシャルデザインプロジェクト「ダカラコソクリエイト」の協力により実施。簡単なレクチャーの後、実際にピアカウンセラー役、相談者役、そして観察者となってグラフィック・ピアカウンセリングを体験

がんサバイバーのためのグラフィック・ピアカウンセリング講座

📅 2020年11月　📍 大阪ガス株式会社都市魅力研究室　👥 働く世代のがんサバイバー3人
✏️ A4用紙、カラーペン

① **まずはひたすら聴いて描くところから**…話し手が話したいことを聴き切り、描いていくことで傾聴を体現

↓

② **描いて感じたことをフィードバック**…メッセージとして「私はこう聞きました」と伝える。アドバイスはいらない

↓

③ **お互いにペンを持ち、対話しながら描く**…何度も出てきた言葉を囲んだり、つながりのある話を矢印でつなぎながら、対話を重ねる。自身の経験や知識の共有も対話の中で。対等な関係を保ち、アドバイスではなく選択肢を渡す

Tips

可視化で聴く力を磨く

当事者同士の対話は、当然傾聴のスキルにもばらつきがある。グラフィック・ファシリテーションは「しっかり聴ききる」ための道具になるのではと開発中

ピアカウンセラー役　　相談者役

観察者役

A4の紙を横長に貼りあわせ、話の内容を一覧できるように工夫している

言葉の空中"戦"をみんなが得意な地上"戦"に。だれかではなくだれもが場にいられて、その場がより良い場となるように添えるグラフィックを描きたいと思っています。

関西ふくしグラレコグループむす部

Recorded by

カワハラニヘー

川原諭　　二瓶智充

グラレコ歴／頻度

3年／1カ月に1、2回

どんな立場で描いている?

利用者本人の状態を確認するための"アセスメント"や介護サービス導入後の本人の状態や気持ちの変化を確認する"モニタリング"の場面。また、専門職者間や事業所、営業所のミーティングなど、どこでもグラフィック・ファシリテーションを取り入れ、利用者との関係構築や営業所運営に一役かっている

医療・福祉・介護現場の不安が信頼のタネに!

言えない本音に寄り添う見える化

医療・福祉・介護現場のケアワーカーまたはケアマネジャー（介護支援専門員）として日々接している高齢者や障害者、またその家族とのコミュニケーションに、可視化を取り入れています。ハンディキャップによる日常生活の変化で生じる不自由、困りごと、戸惑いや不安などは、言葉として発せられるものばかりではありません。利用者や家族の言葉に耳を傾けながらも、話している時の感情の変化などにも意識を向けることを大事にしています。例えば、耳の聞こえにくい利用者さんの中には、代替手段の"読み書き"にこそ苦手意識をもち、書類に目を通すことやサインすること自体に負担や不安を感じる人もいます。文字情報だけでなく、#1のように絵や色、図などを用いて"情報の見える化"を行うことは、小さな見えない不安を取り除く近道になります。

安心から共に前進する力が生まれる

不安という"弱み"を進んで他人に見せたがる人はいません。特に介護一日目は、「初めて会う人に自分の何がわかるのか」と身構える利用者さんが多く、可視化はその不安に一つひとつ寄り添うためのツールです。本人に見せながら、スケッチブックに聞き取った言葉や感情を大きな文字と絵で描き込んでいきます。#1では中央に利用者さんの"今の表情"を似顔絵で描き、1)黒色ペンで基本情報、2)青色ペンで不安な気持ち、3)赤色ペンで課題を周りに描き足しています。「ちょっと違うなぁ」と言われても消す必要はありません。足りない視点や思いを上から描き加えていきます。「そうそう、それが不安なの。でも助けてくれるならやってみようかな?」と、不安は安心の種になり、一方的に支援を受ける側だった人から、共に歩み進める側へと変わっていきます。

#1　介護の隠れたニーズを引き出す

ケアマネジメント内によるアセスメント／モニタリング

🗓 2017年12月　📍兵庫県内対象者の自宅　👥担当ケアマネジャー、対象者本人、対象者本人の家族　計3人
🖊 模造紙、カラーペン[プロッキー（黒/青/赤色）]

介護保険制度上での担当者として、利用者本人の状態を確認するための"アセスメント"、また介護サービス導入後の本人の状態や気持ちの変化、家族の意向などを確認する"モニタリング"の場での活用

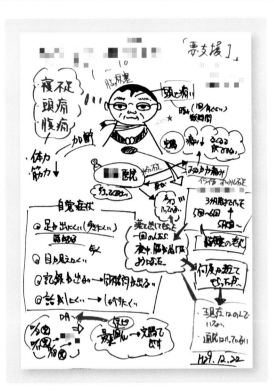

1 **似顔絵からスタート**…中心近くに本人の似顔絵を描き、発した言葉や聞き取った問題や困りごと、決定事項などをその周りに描いていく

↓

2 **対話をファシリテート**…今の困りごとから今後のことまで、聞きながら描いていく
- 黒字が聞き取り　赤字と青字がまとめ
- 相手の仕草や表情を確認しつつ質問しながら、描きとめていく

↓

3 **描きながら見せる**…ご本人やその家族にも、描いている途中の内容を時折開示し、聞きとりを共有することが安心感につながる

🖋 消さずに足す

話しているうちに、より大事なことが出てくるが、一度描いたことを消す必要はない。消すのではなく、字の色や太さでより強調して描き足していく

❖実際の事例を一部再現

🖋 まずは相手を知る

いきなり本題に入らず、話しやすい話題から。趣味や好きな食べ物、飼っているペットのこと……どんな素敵な偏愛をもっているかを知ることが、介護ニーズを引き出すコミュニケーションの一歩

Tips

絵にされる抵抗感を
事前に確かめる

絵と文字で描きあらわすことに抵抗がないか、必ず事前に説明・確認する

---

1 **事前説明**…絵にされることを不快に思う方もいるので事前の説明と確認は欠かせない

→

2 **共有したことにずれがないか確認する**…描き終えたあとは、内容をご本人にも確認してもらう。後日振返って齟齬のないように、描いた紙をお渡しすることもある

→

3 **前向きな話で終わる**…本人のできることや周りができることを確認し、最後は前向きな話で終わるように注意している

信頼のタネが支援の可能性をひらく

文字や絵で可視化しながら聞き取りをすることは、当事者が抱えている不安や悩みを肯定し、受け止めたいという「支援側の気持ち」を見せるプロセスとしても重要です。聞いてもらえた／話してもらえたという安心感は、介護する側とされる側双方の気持ちを和らげます（#2）。利用者さんから「こんなふうに話を聞いてもらったことはなかった」と言われたり、

筆者の身の上話を訊ねられたりすれば、信頼の種が生まれている証拠です。こうした信頼関係を早い段階で築くことができると、その後の支援も円滑に進みます。また、聞き取り描いた紙をそのまま利用者やその家族へ渡してしまうことも少なくありません。話し合ったその時の内容やその人の思いを聞きましたよ、そしてその場限りではなく、今後の支援を一緒により良いものにしていきましょうという気持ちを込めた、手紙のような役割も果たします。

#2 "モヤモヤ"と"すっきり"は両方描く！

視覚・聴覚など高齢者・障害者の方のコミュニケーションツールとして活用。介護保険サービスのひとつ"訪問入浴サービス"を知ってもらい、アセスメント、担当者会議議事録として相手の話した内容に聞き手との齟齬がないか確認しながら活用

紙芝居・アセスメントグラフィックツール活用

📅 2018年1月　📍 大阪府内対象者の自宅　👥 適宜　🖊 スケッチブック、カラーペン［プロッキー］

Tips

「紙芝居グラフィック」を使う
紙芝居形式の聴き取りによる介護現場のアセスメント（調査や分析）。話者を設定するので、家族の皆さんや利用者さんの言葉にできないモヤモヤを聞き出して、描き出しやすい

一人ひとりの状況に寄り添って対話する
高齢者の方には、目が見えない利用者さんも多い。その時はご家族と紙芝居でコミュニケーションを取ることを伝えながら、声で読み上げる

介護前の"モヤモヤ"に向き合う！

① まず不安に思っていることを聞き出す…紙芝居を介することで、ご本人ご家族への面談など単なる聞き取りでは出てこない、さまざまな話を引き出すこともできる

支援前のご家族

② 声なき声を拾う…表情、声のトーンなどをしっかり見て聴いて観察する

支援前の利用者さん

不安は青色／嬉しい感想は赤色／願いは黄色

顔文字や漫符を使う

サービス利用後は"すっきり"を皆で振り返る！

③ 表情も含めて嬉しさを表現する…気持ちの変化や声に出なかった感情をできるだけ正確に受け取るようにしている

支援後のご家族

④ 不安が信頼に…サービスを利用するなかで生まれた対話が、その後の支援にも前向きな気持ちをつくる

支援後の利用者さん

利用者本人の自分ごと化を促す

ある認知症の利用者さんと視覚コミュニケーションで、可視化を用いたことがあります。初めはスケッチブックを介したやりとりに半信半疑だったようですが、ペンを渡すと自ら何かを描き加えてくれるなど徐々に打ち解け、そのうち名前で呼んでくれ、「○○さん呼んで！」と気軽にヘルプのサインを出してくれるまでになりました。疾患や障害により生じる日常の不自由は千差万別です。利用者自身が支援の形を人任せにしていては、いつまでも状況は改善しません。少しでも早い段階で、利用者自身が支援や介助を"自分ごと"として認識し、どうすれば私たちがより良い日常生活を送るための支えになりうるのか、自ら考えてもらう。利用者本人自身の目的意識が変われば、その後の支援の質も大きく変わっていきます。一人ひとりの"声なき声"や"気持ち"に寄り添うために、視覚コミュニケーションは欠かせないツールです。

#3 在宅看取りの課題に寄り添って向き合う！

いのちのビハーラ"お家での、お看取り"

- 📅 2019年11月　📍 総持寺（茨木市）
- 👥 医療介護・住職・葬儀社：150人
- 🖊 筆ペン、カラーペン［プロッキー（黒/水/肌/青/赤/黄色など）］

人が亡くなる際、どのような場所でどのようにして亡くなっていくのが良いのか。いろいろな方の死生観を話し合う場。多様な立場からの話を踏まえて、ワークショップ形式にて参加者同士話し合い、気づきなどを持ち帰ってもらうために活用

Tips

「紙芝居グラフィック」を使う
話者を設定するので、家族の皆さんや利用者さんの言葉にできないモヤモヤを聞き出して、描き出しやすい

毛筆を使う筆グラフィック
タイトルや見出しには、極力太字の筆ペンを使用。力強くパッと目に飛び込んでくる見出しになる

終了後に編集する
グルーピングや強調、カテゴリーごとに囲む・装飾するなどの情報の編集作業は、すべて描き終えた後に行う

プロッキーと筆を使い分ける
スピード感のある講義などでも素早くメリハリが出せる

パネルディスカッションは文字だけで
速度も情報量も多いディスカッションは、まずは文字を描きとめることに集中。後から絵を足すようにする

主要な言葉を文字でおさえて、細部はできるだけ要約文＋絵に置き換えることで見やすく

文1／p.57）Deloitte 7Cells^{SM}（企業の成長源泉マップ）

https://www2.deloitte.com/content/dam/Deloitte/jp/Documents/strategy/cbs/jp-cbs-mail-magazine-next-archives15.pdf

文2／p.70）ボブ・スティルガー『未来が見えなくなったとき、僕たちは何を語ればいいのだろう』英治出版、2015

文3／p.72）中野民夫『学び合う場のつくり方』岩波書店、2017、p.110

3章

描くことで
「場をつくる」ために

\ Nakano \
\ Kamura \

対談 可視化で気をつけておきたいこと

1章では参加型場づくりと可視化の変遷についてレクチャーしてくださった
中野民夫さんと嘉村賢州さん。長年取り組まれてきたからこそ思う、描き手
が気をつけておきたいポイントについて、アドバイスをもらいました。

そのグラフィックが担うのは記録？
ファシリテーション？

嘉村：

最近は100～200人など大きな場でグラレコが導入さ
れることも増えていますよね。良い流れだなと思いますが、
同時にグラフィック・レコーディングの価値をもっと議論
に活かせないかという疑問もふつふつとわいてきました。
例えば、会の冒頭でグラフィックの役割がちゃんと紹介
されなかったり、ファシリテーターとは当日初対面だったり。
グラフィッカーの介入が浅いと、絵が置き去りに、あるい
は絵が場を置き去りにしてしまうことも多いですよね。美
しいね、かっこいいねって言ってもらえても、ただ横で黙々
と描いて休み時間に見てください、ではやっぱりもったい
ないです。どう活かしていくかは今後の課題ですよね。

中野：

企画者やファシリテーターとよく事前に話して、目的や
活用の方法をしっかり共有しておきたいですよね。せっ
かく描いても活かされないのではもったいない。アイデ
ア出しのようにどんどん拡散させるためのメモなのか、流
れをイメージで記録するものなのか、話し合ったことを整
理しまとめていく役割なのか、などシーンによって変わっ
てきますよね。

嘉村：

そうですね。あと基本的に議論ってすぐに忘れられるも
のと考えたほうがいい。だから、せっかくなら会議の終わ
りには必ず振り返る時間をつくってほしいです。その時
グラフィッカーが整理役、振り返り役を務められるとなお
良いですね。慣れてきたらそのうち段々と、場に問いを
投げるとか、要点を確認するとか、絵があることで広が
る議論を提示できたらさらに良い。

インタラクティブな場づくり

嘉村：

デイビット・シベット[(p.18)]のワークは僕もポートランドで受
けたことがあるんですが、ほんとうに気のいいおっちゃん
という雰囲気で、楽しそうに描くんですよね。みんなで出
しあった発言一つひとつをちゃんと好奇心をもって拾って、
一体感ある場をつくるさまが見事でした。「みんなでつく
る」ってこういう感覚かと実感できました。

中野：

彼はビジュアルがスパスパ出てくるし、走り書きで発言
を描いて、描いたことでみんながファシリテートされて、やっ
ぱり相当インタラクティブな場になり、みんなが活き活き
してくる。「楽しそう」にという意味では、日本では川嶋
直[(p.18)]さんなんかも、活き活きと楽しそうにやってますね。
彼がキーワードをA4の紙に書いて貼りながら話すKP法

（紙芝居プレゼンテーション法）を見てても思うけど、漢字って表意文字だから少なくてもポンと意味が入ってきたりする。英語はアルファベットで何文字か組み合わせてようやく意味ができてくるので文字数が多い。その点、一文字が意味をもつ漢字のグラフィックは日本独自の可能性を感じます。

あなたが描く場はどんな場？

グラフィッカーとファシリテーターは二人三脚

中野：
活発な場をつくるためには、やはりグラフィッカーがファシリテーターと協働することが欠かせないですよね。両者が「こっちはこっちでやるから、そっちはお任せね」という姿勢だと、グラフィックが単なるおまけになりかねない。それぞれ余裕がなくて連携できないのも残念。グラフィッカーであってもファシリテーターであっても、一緒に一つの場をつくっているという意識を共有したいものです。時にはグラフィッカーが前に出て、見える化しながら活発な発言を促すこともあるでしょう。あるいはファシリテーターと一体化して影となり手足となり、ファシリテーターが繰り返す言葉だけを書いていくのもあるでしょう。

嘉村：
僕がファシリテーターとして場をつくるときは、グラフィッカーに伴走してもらうのが基本です。そして話の中心には必ずグラフィックがある状態にします。議論は必ず模造紙を指差し、同じものを見ながら進めます。模造紙が「みんなでつくったもの」として残ると、次の集まりでの振り返りも前回の雰囲気をワッと思い出すことができて、すぐにエンジンが入るんです。

回を重ねて探求する、多人数やオンラインで探求する

中野：
2回目以降の話し合いは、前回のグラフィックを少しでも振り返えってから始めると、深さが全然違いますよね。前の場にいなかった人が追体験できる役割もある。終わった後にも活用して報告書としてまとめるのも大事。

嘉村：
アート・オブ・ホスティング[(p.23)]もそうだけど、単発イベントではなく連続の探求の場こそ、グラフィックが真価を発揮しますよね。そのとき可視化には、イベントを盛り上げることより議論をスムーズに巻き戻せる機能が求められます。

中野：
あとは人数も重要。10、20人ならいいけど、100〜200人規模になると物理的に見えにくいからライブ感を出すために、ひと工夫が大事ですよね。最近では描いている手元をスマートフォンなどで撮ってプロジェクターで大きく映すとか、そういう全体への見える化の配慮が大切。描いても見えないと関心も引き寄せられない。

嘉村：
withコロナ時代がやってきて、オンラインでやらざるを得ない状況も圧倒的に増えました。参加型の場にする

ためにMiro*1やMURAL*2といったオンライン会議ツールも頻繁に使われるようになっています。でもやはりオンラインが苦手な人も多くて「もっとシンプルに」という要望も多い。でもそうなると逆に文字ばっかりになって、参加型なはずなのに無味乾燥な時間になってしまうなど、悩ましいわけです。僕が最近ちょうどいいシンプルさだなと思ってよく使っているのは、グーグル社のJamboard*3

です。最低限の機能が付いたデジタルホワイトボードで、だれでも使いやすい。とはいっても、オンラインはどうも画一的で無味乾燥になりやすいので、グラフィックの出番が多くなりそうな気がします。探求が楽しくなる背景をパッと描けるグラフィッカーの存在はやはり貴重ですよね。一気に場がほぐれます。

＊1）Miro
オンライン上で共同編集ができる「オンラインホワイトボード」のサービス。マインドマップやアイデアブレストを行う際に有効。テンプレートが多数あることが特徴。Jamboardと同様のデバイスで使用可能。

＊2）MURAL
オンライン上で共同編集ができる「オンラインホワイトボード」のサービス。ワークシートを作成しながらファシリテートする場で有効。デザインもシンプルなものが多い。Jamboardと同様のデバイスで使用可能。

＊3）Jamboard
グーグル社が展開している「電子ホワイトボード機能を持つクラウドアプリケーション」。タブレットやスマートフォン、PCから利用可能。

第1節　現場に学ぶ場づくりのヒント

（1）描いて場をつくるための基礎トレーニング　　荒木寿友

人の個性とファシリテーションや
グラフィックとの相性

　計算が早い、運動ができる、絵がうまい、人を笑わせるのが上手、気配り上手……人はそれぞれ得意なことをもっています。得意不得意といってしまうとそれまでですが、どんな技術も、人との「相性」が存在します。グラフィックやファシリテーションのスキルを習得すれば、だれでもどんな場でも優れた効果を発揮できるのかというと、残念ながらそういうわけではありません。

　私は大学の教員養成課程で、未来の教員を育てる仕事をしています。学校の教員とは、子どもたちの成長や発達をサポートしていく「対人援助職」の1つです。そして、場や人をサポートする際に役立つのがグラフィックやファシリテーションです。とはいえ、すべての学生がこうした技術の習得をすべきかというと、そうは思いません。例えば、前に立って子どもたちを引っ張るリーダー気質で、何かを指導することが得意なタイプの学生は、ファシリテーションやグラフィックとの相性はそれほどよくないような気がします。逆に、後ろからそっと見守りたい、あるいは子どもたちの伴走者になりたいというタイプの学生には、積極的にすすめています。

　本書の編著者である有廣悠乃さんや2章の執筆者に名を連ねる石橋智晴さんは私の研究室で学び、私が主催するNPO法人EN Lab.[*1]の立ち上げメンバーでもありますが、2人とも伴走者タイプの個性を持ち合わせていました。では、この2人はどのようにグラフィッカーとして成長していったのでしょうか。彼らが積み重ねてきた実践とそのステップアップ過程から、「描いて場をつくる」ための基礎トレーニング方法を紹介します。

グラフィッカーとしてのスキルを磨く
基礎トレーニング

どんな小さなことでも自主トレに置き換える

　ファシリテーションもグラフィックも、すぐにできるものではありません。私たちはいろいろな場で、ある程度のレベルのファシリテーションやグラフィックを目にしますが、実はその裏ではかなりの練習を積んでいることがほとんどです。

　絵を描くときに参考になるのが、スマホに入っている絵文字です。絵文字は最小限の表現方法

で最大限の効果的な表現をしています。お気に入りのイラストレーターの絵を真似るのもいいかもしれません。それらを参考にしつつノートへの「落書き」をたくさんする、それが最初のステップです。

単に落書きすることに飽きてきたら、メディアを利用する自主トレに入っていきましょう。TED Talk[*2]をまとめていく、あるいはテレビの討論番組をまとめていく、その中で構造化する練習、つまり、つながりや関連性、類別、対立、流れなどを可視化する練習をしていきましょう。実は、これが最も大切なことであり、最も難しいことです。グラフィッカーは単に絵を描くのではなく、その場で何が生じているのかということをメタ的に捉えて可視化することを、常に意識する必要があります。そのための自主トレです。

そうそう、少し高めのおしゃれなグラフィック用品を揃えるのも大切です!

たくさんの場に出向き、多くの人に出会うこと

最初のステップと同時に進めてほしいのが、たくさんの場に出向いて、多くの人に出会うことです。リアルな場で感じる空気感は書物からは学べません。ワークショップにおける「場づくり」とは、その場の空気感や雰囲気をつくり出すことです。そしてそれは、主催者やスタッフの「人となり(あり方)」から醸し出されてきます。場づくりにどのような工夫がなされているのかを感じ取ってみてください。

また実際にいろんな活動をしている方との出会いは、一気に世界観を広げてくれます。他者と出会うだけでなく、他者の鏡を通じて自分はどんな人間であるのかについても、探ってみてください。自分のあり方に気づくと、自分らしいファシリテーションやグラフィックが見つかります。

人前で描くこと

まずは身内のミーティングなどで構いませんので、できるだけたくさん、人前で描くことに挑戦しましょう。実践形式でしか身につかない技術(例えば、「今なんておっしゃいました?」と聞き返したりすること)もありますので、積極的に取り入れてください。おそらく描き始めたときは、みんなの役に立ったという感覚(自己有用感)をもつと思います。大事なのはその先です。自分への称賛を求めるグラフィック(すごい上手ですね〜!)ではなく、その場をどうすることがその場にとってベストなことなのかを考えながらのグラフィック、つまり、あなたのグラフィックの目的が、「自分」を高めることではなく、「場」の向上を目指すようになれば最高ですね。

自分がグラフィッカーであると名乗ること

不思議なもので、今から15年ほど前に「私はファシリテーターです」と初めて名乗った時から、私自身、自然とファシリテーター仲間が増えました。それだけではなく、その肩書きに引っ張られるようにファシリテーターとしての自覚が高まってきました。自己紹介のとき、「私はグラフィッカーです」と思い切っ

て言ってみましょう。あるいは名刺の肩書きを「グラフィッカー」にしてもいいですね。

　ただ、グラフィッカーであると名乗る以上、何のために描くのかということには常に向き合ってください。グラフィッカーやファシリテーターは目立つ存在ではありませんが、その場をコントロールする責任者です。その場をどうしたいのかという目的もなく、参加者と時間を過ごしてはならないでしょう。本書には有廣さんや石橋さんなどさまざまなグラフィッカーが登場しますが、それぞれがグラフィッカーとしての自分の目的をもって、場に参加しています。

　以上、簡単に4つの基礎トレーニングを示しました。このトレーニングは、どれだけ成長しても続けていくべき基本の「型」とも言えるでしょう。自分はどんな存在で、その場をどうしていきたいのか。この問いを考え続けることでしか、グラフィッカーやファシリテーターは成長できません。自分なりのペースで、自分らしく、日々鍛錬を積み重ねてください。

＊1）NPO法人EN Lab.
ワークショップなどを用いた学びを提供する非営利団体。2014年に法人格を取得した。子ども向け企画として「もくもく大作戦」、大人向け企画として「Workshop3.0」、またミャンマーにおいて教員支援活動を行っている。
http://en-lab2013.com/

＊2）TED Talk
TED（Technology Entertainment Design）は、多分野のエキスパートによるプレゼンテーションを開催し、動画配信している非営利団体。
https://www.ted.com/talks?language=ja

（2）こんなときどうしたらいい？ Q & A 　　　　　　有廣悠乃

グラフィックを描く現場でどうしても苦手意識が消えないこと、悩んでしまうこと、立ち止まってしまう場面、たくさんありますよね。でも心配しないでください。著者の皆さんも、同じようなことで悩み立ち止まって、少しずつ乗り越えています。2章の皆さんの取り組みを参考にしながら、現場の疑問や悩みに答える場づくりのヒントを紹介します。

Q1.
いちばん大事な議論をいつも聞き逃してしまいます。どうしたら防げますか？

A. 全部を聞くのではなく、問いを意識して聞こう

　グラフィックを描くとき、話されている内容を全部描くことは基本的には不可能です。要点をおさえて過不足なく可視化する技術としては、5W1Hを意識する、わからないことは聞き返す、といった基本の姿勢が大切です。もう1つ、2章の皆さんが実践していたポイントがあります。それは「問い」を意識することです。話し合いの現場では、いつも「問い」つまり「論点（キーポイント）」を見失わずに議論を進めてください。問いをおさえながら描けるようになると、グラフィックの質は格段に上がります。関美穂子さん[p.58]のように、話し手の語るたくさんの言葉の中から、キーポイントとなる問いを探しあてながら描くことが大切です。事前準備も欠かせませんが、リアルタイムで話し手が伝えたい内容を見出せるようになるには、訓練が必要です。何度も描いて何度も失敗して、経験を積むことで少しずつ力をつけましょう。

Q2.
参加者の発言の意図をくみ取るのが苦手です。どうすれば理解できますか？

A. 話の構造を意識してみよう

　ある程度論点を掴めるようになると、少しずつ見えてくるのが話の構造です。一見脈絡なく思える参加者の突飛な意見も、その場で浮かび上がった思いであって、すべてに原因や理由があります。前後の発言や流れを体系化しながら、意見の対立、同義、類似している点を頭の中で整理することを心がけてください。矢印や丸で囲って話者と話しながら共に構造化する手法は、筒井大介さん[#3／p.85]のワールド・カフェ形式、角野仁美さん[p.102]やあるがゆうさん[p.106]のワークショップ形式、青波ゆみこさん[p.42]の一対一形式とさまざまな場で有効です。

　また構造化には、先人が生み出した超便利な話し合いを円滑に進めるフレームワークがあります。玉有朋子さん[#2-3／p.72-73]、石橋智晴さん[p.98]、酒井麻里さん[p.54]、山本彩代さん[p.86]らのように、その場に必要なフレームワークを瞬時に選

び取れるようになると無敵です！

Q3.
字が汚いのがコンプレックスです。どうしたらきれいに書けますか？

A1. ひらがなを小さく描くとグッとメリハリがついて読みやすくなる！

「字が汚いから恥ずかしい、不安だ」という声をよく聞きます。特に平仮名は、丸みを帯びたフォルムでバランスよく描くのが難しいと言われます。一方、縦横の線で構成され比較的バランスが取りやすいのが漢字です。小柳明子さん[#3／p.65]や伊勢田麻衣子さん[#1／p.46-47]のように、バランスのとりづらい平仮名は小さく、漢字を大きく描いてみてください。そもそも平仮名は、文意を伝える漢字を目立たせるために生まれたわけなので、視覚的にスッと読みやすくなるのも当然ですよね。

A2. ペンの角芯の当て方で、縦線と横線の太さを変える

学校の教科書などでよく使われる字体を「明朝体」といいます。横線が細く、縦線が太いのが特徴です。単一な太さの「ゴシック体」よりもメリハリが出るため、老若男女問わず視覚的に理解しやすい字体です。縦横の幅が異なる太い芯のペンは、「明朝体」で文字を描くのにうってつけです。図のように横に寝かせてペンの角芯を当てることで、縦線と横線の太さにはっきりとした強弱が出せます。

Q4.
彩りよく仕上げたい！どうしたら見映えの良いカラフルさが出せますか？

A. 色の氾濫は厳禁！4色までに抑えて統一感を出そう

中尾有里さん[p.90]や沼野友紀さん[p.94]のように、カラフルな文字やアイコンをかっこよく描

けてしまう人に憧れる気持ちもわかりますが、色の多用は初心者にはおすすめできません。場数を踏んで「議論の要点をおさえながら描き切る力」が伴っていないと、大事な情報が埋もれてしまい、議論の構造をわかりにくくしてしまうからです。色数を絞ったほうが、統一感も出やすく簡単に「議論のまとまり」を表現できます。石本玲子さん[p.78]や石橋智晴さん[p.98]、酒井麻里さん[p.54]、むす部の二瓶智充さん・川原諭さん[p.122]の事例のように、基本的には、文字やアイコンの主線は1色、強調色なども含めて全部で3色（多くて4色）にすると統一感が出ます。慣れてくると、最初にこの話し合いの色は何色だろうと考えテーマ色をつくるのも楽しみの1つになります。

Q5.

似顔絵が描けない！どうしたら上手く描けるようになる？

A. 似顔絵は二の次でOK！徐々に慣れよう

　似顔絵が苦手という方も多いですが、声を大にして宣言します。究極、描けなくても大丈夫です！人やモノの細かい描写がなくても大丈夫というあるがゆうさん[p.106]の言葉を思い出してください。大事なのは、話者の話を丁寧に聞いて「自分の話を受け止めてもらった」と安心感を描きとめること。さらに、自分なりに頑張って描いた似顔絵に名前を添えてくれたことに、嫌な気分になる人はいない

はず。……といいつつ、絵に自信がないから似顔絵を描けない、という方におすすめなのは、あなたが素敵だなと感じたその人の特徴をアイコン化すること。樋口菜美香さん[p.114]のように、絵は楽しい感情を伝えるコミュニケーションツールです。お洒落なメガネやネクタイ、くりっとした目や髪型、なんでもかまいません。「〇〇さんはココが素敵ですね！」とあなたのメッセージを伝えるつもりで描けば、相手もきっと嬉しいはず。

Q6.

アイコンが出てこなくて手が止まってしまいます。どうすればパッと描ける？

A. アイコンや漢字はとにかく練習！
　　場をつくるタネも仕込んでおこう

　場数を踏み自分の描くスピードが上がると、幾度となくこの状況に遭遇するはず。これは事前の予習あるのみです。2章中尾有里[p.90]さんの言う

ように、話し合いの目的やゴールの予習とあわせて、使えそうだなと思うアイコンや絵を毎回事前に練習することをおすすめします。"漢字のど忘れ"も焦ってしまう原因なので、頻出する用語や漢字をおさらいしておくことも忘れずに！

また当日議論に集中する時間稼ぎという面でも、参加者と一緒に盛り上がるグラフィックパーツでパネルシアター形式の場をつくったグロス梯愛依子さん[#2／p.68]や、おもちゃのお札を使っていたグラグリッドの三澤直加さん・和田あずみさん[#1／p.51]のひと工夫も見逃せません。

Q7.
描いて終わりになってしまいがち。
どうしたらもっと場に入り込めますか？

A1. 参加者にグラフィックが入ることを事前に伝えよう

場づくりのツールとして「グラレコ」が定着してきたとはいえ、そもそも参加者がグラフィックについて知らされてなかった、描き手が議論に参加するきっかけが用意されていなかった、という状況はまだまだ少なくありません。そういう残念な結末は、自らしっかり予防することが大切。まずは、冒頭でしっかり自己紹介する時間をつくってもらいましょう。議論の盛り上がりや振り返りに活かすためには、参加者にも事前にグラフィッカーの存在を伝えて

"共に場をつくる人"と認知してもらうことが大切です。

A2. 話し手にとって描く必要がある場なのか常に問いかけよう

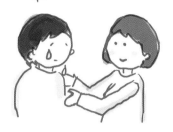

一緒にいる。だから聞くよ。

無理に場に入り込まない方がいい時もあります。描き手として参加していても、参加者として描くより聞くことが大切だと感じた時は、迷わず聞くことに徹してください。目を見て自分の話をただ聞いてほしい、自分の考えを受け入れてほしいという話し手もいます。三宅正太さん[p.110]も言うように、「そもそもこのワークにグラフィックは必要ないかも」「この話は描かないほうがいいのかも」と、描くことに躊躇するような内容だったら、「この話は今ここに描くべきですか？」「描いても大丈夫ですか？」と問いかけましょう。この一言を投げかけるだけでも、話し手の安心感が高まります。問いかけづらい広い会場や判断がつかない場合は、模造紙に描かず、そっと付箋にメモしておくのも一つの手です。

A3. 活用の仕方や配置場所も
　　積極的にデザインしよう

　描き手の手腕はグラフィックの活用の仕方で決まるといっても過言ではないでしょう。玉有朋子さん[(p.70)]、酒井麻里さん[(p.54)]、角野仁美さん[(p.102)]や山本彩代さん[(p.86)]のようにファシリテーションの最中に活用するのか、樋口菜美香さん[(p.114)]やカワハラニヘー（むす部）[(p.122)]のように対話を促すのか、尼崎市役所ファシリ部さん[(p.74)]のように振り返りで活用するのかなど方法はさまざまです。

　配置場所によっても、グラフィックの役立つ度合いは大きく変わります。壁に掲示するのか、大きな机で囲むのか、車座になるのか……場のデザイン1つでグラフィックと参加者の距離も変わり、参加者がグラフィックを意識する頻度も変わります。グラフィックを導入する目的、期待していることを確認したうえで、配置場所を検討しましょう。

A4. 上級編：
　　話の中にある感情の奥底のニーズや
　　パワーに気づく！

　話し手のエネルギーや熱量の観察から生まれる気付きも、グラフィッカーに求められるスキルです。グロス梯愛依子さん[(p.66)]や奥野美里さん[(p.118)]のように、その感情を探っていくような場はグラフィックを描くことに注力するだけではなく、話者の感情や状態を観察してみてください。事実、話者の意見、意見の中に存在する感情の3つを区別することが大切です。描くことはさまざまな感情に出会うことであり、嬉しい！楽しい！などの喜びの感情のみならず、怒りや悲しみに遭遇することも多々あります。注意したいのは、自分の観察したことが絶対ではないこと。場を観察する手法については、さまざまなメソッドが体系化されています。こうした手法を学びながら鍛錬あるのみ。詳しく知りたい方は以下の本を参照されると良いかもしれません。

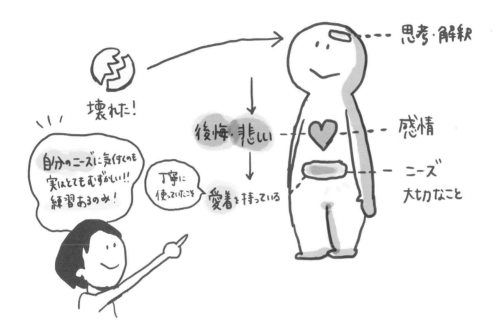

〈参考文献〉

- 清水淳子著『Graphic Recorder:議論を可視化するグラフィックレコーディングの教科書』BNN出版、2017
- ケルビー・バード著『場から未来を描き出す:対話を育む「スクライビング」5つの実践』英治出版、2020
- デビッド・シベット著『ビジュアル・ミーティング:予想外のアイデアと成果を生む「チーム会議」術』朝日新聞出版、2013
- 堀公俊、加藤彰著『ファシリテーショングラフィック:議論を「見える化」する技法』日本経済新聞出版、2006
- 牧原ゆりえ監修「アート・オブ・ハーベスティング ブックレット ver.3-1」
- マーシャル・B・ローゼンバーグ 著、安納献 監修、小川敏子 訳『NVC 人と人との関係にいのちを吹き込む法（新版）』日本経済新聞出版社、2018
- 三澤直加著『ビジュアル思考大全:問題解決のアイデアが湧き出る37の技法』翔泳社、2020
- 中野民夫著『学び合う場のつくり方:本当の学びへのファシリテーション』岩波書店、2017
- 上田信行著『プレイフル・シンキング［決定版］:働く人と場を楽しくする思考法』宣伝会議、2020

同志社女子大学 名誉教授
上田信行

第2節　生成的な場で描く未来のビジョン

可視化が生む場のエネルギー

　私が初めてスクライバー(描き手)に出会ったのは、2011年1月にアメリカのRISD[*1]という美大で開かれた、STEAM教育[*2]のカンファレンスでした。アートと科学とデザインを統合する新しい学びのかたちを生み出すこの会議は、当時RISDの学長であったジョン前田(John Maeda)氏のもとに集った60名の専門家によってそのフレームワークが描かれようとしていました。希望に満ちた刺激的な場だったわけですが、会議のフォーマットもとても新鮮でした。2日間のうちに7カ所も会場を移動して、参加者同士が語り合います。私が「どうしてこんなにも動くの?」と聞いたら、「新しいアイデアを創出するためには自分から動かないと(You should move!)」と答えが返ってきたのです。そんな最先端の会議のメイン会場には、大きな紙に、今まさにこの場で起こっている会議の「風景」を流れるように表現している女性スクライバーがいました。聞き取れないキーワードや複雑な話の内容を、カラフルなイラストでわかりやすく可視化し、リアルタイムに再構築しているのです。彼女の生成的スクライビング(generative scribing)が会場の対話を盛り上げていたのはいうまでもありませんが、さらに驚いたのは、描き手である彼女自身が場と一体となり、STEAMという新しい概念を生み出す場のエネルギーになっていたことでした。この風景そのものが集合的な知(collective knowing)の現れなん

だと気がついて「カッコいい!」と心の中で叫んだことを今も鮮明に覚えています。

　このように、可視化は対話の場を喚起(evoke)し、活気づけるエネルギッシュな装置です。会議でも、ワークショップでも、保育の現場でも、あらゆる創造的な場を生成するグラフィック・レコーディングは、考えを可視化(Making Thinking Visible)し、対話をつないでいきます。

学びはアウトプット

　STEAM教育が目指すように、不確実な未来を生きる私たちに今必要なのは、自らの体験を再構築し、抽象化し、意味づけ、問いを立て、仲間と共に"知"の協奏を楽しむ感覚です。そのためには、創造的で協同的で省察的な学びを通して世界を革新する必要があります。学びはインプットというイメージがありますが、実はアウトプットしたときに圧倒的に学べることをご存知でしょうか。放っておけばすぐに蒸発する体験を、経験に熟成させることができるのです!

　まず、何人かで集まって話しながら描いてください、手を動かしながら対話してください。先ほどの女性スクライバーのようにプロの技術がなくたってもちろん大丈夫。テーブルに広げた大きな白い紙に、発色のいいカラーペンで、居合わせたみんなと思い思いに心が躍るアイデアを可視化するだけです。初心者でも怖がらずに描くためには、道具の選び方も大切です。例えば、グレー

や薄い緑などのパステルカラーを使うと、何度も重ね書きができるので安心です。横の先輩と一緒に描いたり、少し描き加えてもらいながらカッコよく仕上げたりと、足場をかけてもらうこと(scaffolding)もいい経験になるでしょう。大事なのは、私もできるという成長的マインドセット(growth mindset)です。そして深い"知"を生み出すときに大切なのは、アイデアを協奏する場をつくることです。いつも、「あなた」と「他者」と「グラフィック(対象物)」の三項関係でコミュニケーションすることを意識してください。目の前のグラフィックを他者と共同注視(joint attention)し、リアルタイムに変化していく様子に触発されながら未来を描いていくのです。すると、紙の上に生まれた対話のタネから、自然とワクワクするアイデアが湧いてくるでしょう。

プレイフル・ドローイングでつくる場の力

こんな場に一度身を置くと、対話をしながらアイデアがどんどん生まれてくる場の魅力の虜になり、だれもがクリエイターになってしまうのです。対話への参加と情熱、ワクワクする未来を描く探求心さえあれば、グラフィックを「共同注視しながら描く(joint drawing)」世界が始まります。

この本に散りばめられた22の実践記録から、その場の熱量がどんどん増大し、まだ見ぬアイデアの本質を浮かび上がらせようという協奏的な歓びを感じた方も少なくないでしょう。すべての人が、世界をビジュアライズすることに関わり、「私たちの未来を協奏する」ようになれば素敵だと思いませんか!

本気で語り合うのが楽しくてしかたないプレイフルな場を誕生させることが、なによりも場に生命を吹き込むのです。グラフィック・レコーディングは、特別な専門家だけのものではなく、すべての人が身につけられる歓び(pleasure)なのです!「だれでも描ける」「場が楽しくなる」「絵の上手い下手なんて、気にしない、気にしない」。

Just draw!!! プレイフル・ドローイングのはじまり、はじまり。さあ、新しい協奏の世界を心ゆくまで楽しんでください。そして、世界をロックしようではありませんか!

ジョイント・ドローイングの風景(JAKUETS本社のINUHARIKO LABにて)

＊1) RISD(Road Island School of Design)は、米国ロードアイランド州プロビデンスにある美術大学で、先端的なアート・デザイン教育を行っている。

＊2) STEAMとは、Science(科学)、Technology(技術)、Engineering(工学)、Arts(芸術)、Mathematics(数学)の頭文字をとった新しい教育の試み。創造的・協奏的・横断的でプレイフルな学びを目指している。

編者略歴

有廣悠乃（ありひろ・ゆうの）

ファシリテーター。2016年立命館大学産業社会学部卒業。2018年神戸大学大学院国際協力研究科博士課程前期課程修了。在学中より教育系NPO法人、まちづくり関係の株式会社に参画。ワークショップデザインなどの観点で事業の企画・運営に携わる。

著者略歴（執筆順）

1・3章

中野民夫（なかの・たみお）

東京工業大学リベラルアーツ研究教育院教授、ワークショップ企画プロデューサー。1957年東京生まれ。東京大学文学部宗教学科を卒業後、博報堂を経て現職。著書に『学び合う場のつくり方：本当の学びへのファシリテーション』（2017年、岩波書店）ほか。

嘉村賢州（かむら・けんしゅう）

東京工業大学リーダーシップ教育院特任准教授、NPO法人場とつながりラボhome's vi（ホームズビー）代表。1981年兵庫県生まれ。共著書に『「ティール組織」の源へのいざない』（内外出版社、2020）『はじめてのファシリテーション』（昭和堂、2019）ほか。

牧原ゆりえ（まきはら・ゆりえ）

一般社団法人サステナビリティ・ダイアログ代表理事。Art of Hosting Japan 世話人。1972年生まれ。訳書に『場から未来を描き出す』（英治出版、2020）、『ていねいな発展のために今私たちができること』（2015）。ブレーキンゲ工科大学大学院修士課程修了、修士（工学）。

小見まいこ（こみ・まいこ）

NPO法人みらいずworks代表理事、文科省CSマイスター、認定キャリア教育コーディネーター。1982年新潟市生まれ。著書に『教育ファシリテーション入門』（みらいずworks、2016）、共著書に『みんなが主役！わくわくファシリテーション授業』（新潟日報事業社、2013）。

井口奈保（いぐち・なほ）

ベルリン在住エコロジカル・アーティスト。近年は南アフリカへ通い「人間という動物」が地球で果たすべき役割は、他の生き物に土地を還すことだと発見し、「GIVE SPACEアーバンデザイン方法論」を構築中。

荒木寿友（あらき・かずとも）

立命館大学大学院教職研究科教授、NPO法人EN Lab. 代表理事。1972年生まれ。京都大学大学院教育学研究博士後期課程修了、博士（教育学）。同志社女子大学を経て現職。著書に『道徳教育はこうすれば〈もっと〉おもしろい』（北大路書房、2019）ほか。

上田信行（うえだ・のぶゆき）

同志社女子大学名誉教授、ネオミュージアム館長。1950年生まれ。同志社大学卒業後、セントラルミシガン大学大学院、ハーバード大学教育大学院で学ぶ。ハーバード大学教育学博士（Ed.D.）。プレイフルラーニングをキーワードに、学習環境デザインとラーニングアートの場づくりを数多く実施。著書に『プレイフルシンキング決定版：働く人と場を楽しくする思考法』（宣伝会議、2020）ほか。

2章

稲垣奈美（いながき・なみ）

株式会社アイ・キューブ　共創デザイナー/リサーチャー。ベビー用品、玩具メーカー商品企画デザインを経て、現職。新商品開発プロジェクトを中心にリサーチ、ワークショップデザイン、ファシリテーションを行う。

青波ゆみこ（あおなみ・ゆみこ）

ITトレーナー／フリーランスファシリテーター。短大卒業後事務職として働きながら通信制大学社会学部を卒業。企業内IT／コールセンタートレーナーの傍ら、フリーランスファシリテーターとして活動。ブログ「ファシリテーション文具案内」を運営。

伊勢田麻衣子（いせだ・まいこ）

株式会社ビジネスコンサルタントESB本部探索事業開発グループ。1978年生まれ。西南学院大学文学部国際文化学科文化人類学専攻卒業、2000年アデコ株式会社入社、2012年カリフォルニア大学アーバイン校エクステンション留学を経て現職。

三澤直加（みさわ・なおか）

株式会社グラグリッド代表。1977年生まれ。事業創出や経営戦略に伴走しながらデザイン経営を支援する共創型デザイナー。著書に『ビジュアル思考大全 問題解決のアイデアが湧き出る37の技法』（翔泳社、2021）。

和田あずみ（わだ・あずみ）

株式会社グラグリッド勤務。共創的なデザインプロセスづくり、クリエイティブ人材育成のプロジェクト等で、プロジェクトマネジメント、ワークショップデザイン、ファシリテーションを担当。HCD-Net認定 人間中心設計専門家。

酒井麻里（さかい・まり）

Resonant Sign代表。IAF認定プロフェッショナルファシリテーター。企業にてSE、人財開発、事業企画などに従事。2019年にコンサルタント、ファシリテーターとして独立。共著書に『いのちにつながるコミュニケーション 和解の祝福を生きる』（いのちのことば社、2021）。

関美穂子（せき・みほこ）

鹿児島大学文化人類学専攻卒業。旅行代理店、地域おこし協力隊（鹿児島県甑島）を経て2017年に独立。個人向けサービス「可視カフェ」を軸に思考の整理や言語化のための視覚化を実践中。

小柳明子（こやなぎ・あきこ）

NPO法人市民プロデュース理事。1977年生まれ。対話の場づくりを軸として、中山間地域の地域づくり・ボランティア活動・市民活動などの支援に携わる。広報講座講師、話し合いを見える化するグラフィック・ハーベスティングの実践など。

グロス梯愛依子（ぐろすかけはし・あいこ）

2015年九州大学統合新領域学府ユーザー感性学専攻修了、修士（感性学）。上毛町フィールドワークやArt of Hosting＆Harvestingの実践を続け、かけはしあっちこっち研究所を主宰。チャイルド・ライフ・コミュニケーター。じわくら、CO-LABO共同創設。

玉有朋子（たまあり・ともこ）

徳島大学ファシリテーター。徳島大学大学院修了、修士（工学）。大学内の事業ビジョン作成や事業連携等に携わる。共著書に『The Visual Facilitation Field Guide』（THE VISUAL CONNECTION PUBLISHERS、2019）、『はじめてのファシリテーション』（昭和堂、2019）。

柳幸佐代美（りゅうこう・さよみ）

尼崎市役所自主研修グループ「ファシリ部」部長。市役所職員同士のコミュニケーションに興味を持ち、ファシリ部に入部。

小濱賢二郎（こはま・けんじろう）

尼崎市役所自主研修グループ「ファシリ部」。1988年生まれ。大学にて建築学を学び、建築業界の世界に入る。不動産、工務店、ハウスメーカーというカラーの違う企業を渡り歩き、現在に至る。"リノベーション"の可能性を追求するために日々勉強中。

桂山智哉（かつらやま・ともや）

尼崎市役所自主研修グループ「ファシリ部」。元漫才師、ピン芸人。現在は、夜カツ、元漫才師公務員のお笑い行政講座、わろてら！などで活動中。

江上昇（えがみ・のぼる）

尼崎市役所自主研修グループ「ファシリ部」。1978年生まれ。元松竹芸能所属の漫才師。桂山とともに、お堅い行政の話を漫才でわかりやすく伝える「お笑い行政講座」に取り組む他、複数のNPO、任意団体で活動中。

石本玲子（いしもと・れいこ）

高砂市役所勤務。1976年生まれ。兵庫県高砂市出身。国立明石工業高等専門学校建築学科卒業。一級建築士。1997年高砂市役所に建築技術職として入職。2016年から公共施設マネジメントに取り組む。2018年からcode for harimaのメンバーとしても活動している。

筒井大介（つつい・だいすけ）

芦屋市役所勤務。1981年生まれ。岐阜県岐阜市出身。2007年より現職。2016年にCode for Kobeへ参加。総務省地域情報化アドバイザー、NPO法人ファンローカルメンバー。

山本彩代（やまもと・さよ）

NPO法人場とつながりラボhome's vi勤務。1990年生まれ。2015年より現職。NPOや企業や大学のビジョン形成・プロジェクト伴走・次世代型組織変革・ABD読書会を行う。共著書に『はじめてのファシリテーション』（昭和堂、2019）。

中尾有里（なかお・ゆり）

ファシリテーター、グラフィック・ハーベスター、ピースワーカー。1988年生まれ。非暴力コミュニケーションなどを通じ身近なサイズで平和のリーダーシップを育む。共著書に『こんな学校あったらいいな 小さな学校の大きな挑戦』（築地書館、2013）。

沼野友紀（ぬまの・ゆき）

株式会社沼野組代表。電子書籍取次営業、ウェブディレクターを経て、株式会社グラグリッドに勤務。2020年よりフリーランスのビジュアルファシリテーターとして活動中。同年8月にはボーナブルセグメントに特化した合同会社トライアドを共同設立。

石橋智晴（いしばし・ともはる）

横浜市立公立小学校教諭。NPO法人EN Lab.理事。1990年生まれ。学びを通した自己や組織の変容に興味があり、学生時代より場に立ち続ける。現在は、横浜市の公立小学校の教員として、クラスと職員室の組織開発を実践中。

角野仁美（かくの・ひとみ）

NPO法人みらいずworks理事（勤務）。NPO法人わかもののまち理事。認定キャリア教育コーディネーター。1994年生まれ。子どもと地域社会を豊かにつなぐ、対話をベースにした学びづくりを探究・実践している。

あるがゆう

コミュニケーション支援会社新規事業部所属。新規サービスの立ち上げ等に取り組む。1994年生まれ。京都女子大学家政学部卒業。個人として活動しながら、まちの人事企画室専属グラフィック・ファシリテーターも務める。

三宅正太（みやけ・しょうた）

NPO法人山科醍醐こどものひろば勤務。かくしかLab.世話人。小学生・中学生と一緒に活動づくりをしながら、グラフィックを現場からイベントに活用する。1995年兵庫県生まれ。

樋口菜美香（ひぐち・なみか）

京都ぎょくろのごえん茶勤務。手話エンターテイメント発信団oioi所属。1991年生まれ。現職でPR担当として勤務をしながら、個人でグラフィックレコーディング・ファシリテーションの現場にて活動中。

奥野美里（おくの・みさと）

株式会社オーティサイト コクリエ事業部（コクリエ・ラボ）。凸凹フューチャーセンター共同代表。生涯学習財団認定ワークショップデザイナー。ファシリテーター、グラフィッカーとして対話の場づくりを行う一方、そのスキルやマインドを伝える講座を開催。インタビュー手法として洗練させるべく「きくかくラボ」を共同主宰している。

二瓶智充（にへい・ともみつ）

アサヒサンクリーン株式会社勤務。介護福祉士。1977年生まれ。筆談や文字盤などのコミュニケーションツールとともに、絵と文字によってその場で要約するグラレコに可能性を感じ描き手になる。Samurai Graphic Recorder（筆使用）としても活動している。

川原諭（かわはら・さとし）

介護老人保健施設ライフ明海勤務。介護支援専門員。1978年兵庫県生まれ。福祉の枠にとらわず、様々な方々と"誰かではなく誰もが大切なものを大切に"を一つのモットーに豊かな社会の実現のため活動中。

編集協力：筒井大介
制作協力：伊勢田麻衣子・中尾有里
グラフィック制作（p.4、11）：肥後祐亮
インタビュー協力：一木逸人・菱田哲
広報協力：浅井葉月・一木逸人
表紙イラスト：山本彩代

描いて場をつくる
グラフィック・レコーディング
2人から100人までの対話実践

2021年7月10日　第1版第1刷発行
2021年9月20日　第1版第2刷発行

編　著　者 … 有廣悠乃

発　行　者 … 前田裕資

発　行　所 … 株式会社学芸出版社
　　　　　　　京都市下京区木津屋橋通西洞院東入
　　　　　　　電話075-343-0811　〒600-8216
　　　　　　　http://www.gakugei-pub.jp/
　　　　　　　info@gakugei-pub.jp

編 集 担 当 … 岩切江津子
営 業 担 当 … 中川亮平

装丁デザイン … 美馬智
印 刷・製 本 … シナノパブリッシングプレス